王朔
——
著

我是你爸爸

北京出版集团公司
北京十月文艺出版社

目录

第一章

马林生对镜子里的自己还算满意，一望可知，镜子里是那种在年龄和经济的双重压力下挣扎着、煞费苦心保持的类知识分子形象。像他这种成色的类知识分子如今已经没有什么好讲究的了，只能要求自己一点：干净——他身上和头发里散发着一股廉价的香皂味儿。

马林生离开一地污水、充斥着尿臊味儿的厕所，穿过昏暗的堆满牛皮纸包装的书籍的走廊，来到因开着日光灯显得凄怆的书店营业厅。书店里顾客不多，仅有的几个顾客也大都呆呆地近乎茫然地盯着书架上一本本堂皇陈列的书籍，时而抽出一本翻几下，很快便放回原处无动于衷地走开。只有儿童读物柜台略呈活跃，几个穿校服系红领巾的男孩趴在柜台上喳喳议论，流露出对柜台里五花八门的连环画的浓厚兴趣。

马林生经过收款台对里面的女同事颇为矜持地点了下头："我走了，齐老师。"

"慢走。"那位胖胖的中年妇女怔了一下，客气地回答，"……马师傅。”

马林生踱出书店门，由于他拉门的手势过于优雅，出门后又未能及时闪到一旁，装有上好弹簧合叶的玻璃门相当有力地迅速弹了回来，门框在他背上近乎粗鲁地一推，他踉跄冲下台阶。

同昏暗、冷清的书店店堂相比，外面的大街既明亮又热闹。这是条除公共电汽车外禁止一切机动车、自行车行驶的繁华商业街的街口，人如潮涌，都是下了班来购物的妇女和外埠旅游者以及黄昏到这里来消磨时光的青年人。

马林生穿行而过，目不斜视状颇麻木。他长年累月在这里辛苦工作却不属于这繁华景象中人。他根本没有仅为愉悦在这里挥霍一番的能力，而为了某种目的在这里谨慎开销一次的理由他也丝毫不具备——他需要的一切都可以在他家附近那些不那么奢华、普通的商店买到。简言之，他没有理由在这里一个人晃荡——如果不是他上下班必经之地的话。

他走上纵贯全城的大街。阳光是那么强烈，由于实行夏令时的缘故，这本该是黄昏夕阳西斜的时刻，到处仍是一片耀眼犹如爆炸时闪现的令人一阵阵眼发黑的炽光。

庞大的公共汽车结队而来，像一列列重载火车。马林生如同插在书架上的书，被紧紧贴挤在两扇脊背之间，透过薄薄的衣衫，他甚至能数清对方身上有多少块骨头脊柱排列是否垂直。如同正月十五的摇元宵，裸露着肢体的人们随着汽车行进的节奏把自己肌肤上分泌出的汗液沾染的尘埃毫无保留地蹭到其他人的肢体上。公共汽车尚未开出一站，全车男女老少已经脏得不分彼此。当人体麝香和屁味儿袭来时，很多无辜的人受到了猜疑，大家只好皱紧眉头捂住鼻子以示清白。

马林生辗转换乘终于在通往他家所在的那条胡同的路口跳下

来时，已经不是一小时前那个看上去多少还称得上整洁体面的马林生了。他像小饭馆里使用了多时的一块抹布，散发着各种秽物混合的臭味儿。

马林生几乎是竞走般大步流星地奔回家，似乎迟一步，身上那层脏皮就会结壳成鳞，尽管他小心地沿着墙根儿树荫蹓行，甚至因此显得有点鬼鬼祟祟，但这通奔走再次使他出了身大汗，当他进了屋飞快地脱衬衫时，肉皮儿和织物之间都拉出了丝儿像揭膏药一样。

马林生住的这种老式四合院平房没有完善的卫生设施，只在院当间有一个自来水龙头，一个共用水表，谁要用水全院人盯贼似的盯着，因而他不能畅快淋漓地洗，只能端盆水回屋，像个月子里的女人门窗紧闭擦拭。

马林生在屋里擦得欲罢不能，毛巾所到之处总像犁地似的耕出一卷卷新泥，那具遭了虫害的扁豆似的身子擦得通红仍层出不穷，最后只好扑落，用毛巾鸡毛掸子似的掸，再不敢用力。好容易拾掇完上半身，重新洗了毛巾，正待细细清理阴部，门嗵地一响，儿子冲了进来。情急之下不及呵斥，只得先将无甚个性的屁股转将过去，掉脸再看，儿子已知趣地退出去，并小心翼翼地带上门。

马林生受此一惊，已无心其他，草草抹了遍身体的其余部分，蹬上条内外通用裤衩，敞了门，将那盆污水泼出，拎了盆到水龙头前格外仔细地刷洗连带漂洗手巾，一副光明正大的样子。

“马锐，”他严肃地唤儿子，“你也洗洗，洗完再进屋。”

“我不脏。”儿子眼睛看着别处。

“不脏也得洗，刚在外面玩完怎么可能不脏？”马林生加重语气，命令道，“过来！”

马锐低着头，耷拉着双肩，踢踢踏踏慢腾腾走过来。

“还不脏！瞧你这一头一脸土，钻了哪儿灰堆儿了？”

马林生不由分说，把儿子的头塞到水龙头下。倾泻的水柱打在马锐乌蓬蓬的头上，水花四溅，湿了马林生一只手。

“水流进脖子了！”佝偻着身子低着头的马锐嚷。

“把小背心脱了。”

马林生动手剥儿子上衣，马锐赤裸着上身在凉水的冲刷下搓着胸脯两肋的泥。

“脖子！胳肢窝……”马林生站在一边指点着，回屋拿出块香皂叫马锐往头上、身上打。

“好好洗，别玩水。”

马锐冲完头湿淋淋地弯腰站在一边滴水，马林生拿块大毛巾，像理发馆的师傅似的包住马锐，连头带脸粗手粗脚地一气猛擦，然后把毛巾扔给马锐，“自个儿擦干身上。再把腿和脚冲一下，搓搓脚脖子。”

自个转身进了屋。

如果不算那些人工流产弄掉的，马锐就是马林生唯一的亲生儿子。

马锐不属于优生，就是说他的孕育是在马林生和他当时的妻子的意料之外的，缘于一次小小纰漏，纯粹是因为他们的心慈手软一拖再拖终成既成事实。他完全是在被动的情况下当了这个孩子的爸爸，就像过去被旧军队拉了夫的良民。小时候总觉得给别的小孩当爸爸是顶体面顶光荣占便宜的事，真当了爸爸倒留恋起做儿子的时光了。

马锐膀子上搭着潮乎乎的毛巾拎着马林生丢在水龙头旁的空脸盆头发乱糟糟支棱着走进屋，像个微型的澡堂伙计，湿透的凉鞋在地上一步一个水印。

他走到屋角脸盆架旁，把脸盆“哐啷”一声扔在一摞脸盆上。

“轻点。”坐在藤椅上看报的马林生瞟了一眼马锐，“磕掉瓷了。”

马锐没吭声，踮着脚把毛巾晾在屋里拉的铁丝上，铺摆开。

“毛巾洗了吗？擦过头不洗就这么挂上还不馊了？”马林生脸在报纸后面慢悠悠地说。

马锐重又踮起脚，把铁丝上的毛巾拽下来，哗哗的水声在院里再次响起。

沉默地坐在藤椅上看报的马林生鼻子忽然猛地一吸带着浓重的黏稠液体抽动声，一口浓痰结结实实含在嘴里。他放下报纸，鼓着嘴东张西望找吐痰的地方，趿着拖鞋走到门口，掀帘一口啐到外面，一脸欣慰。西晒的阳光从门外射进来，照在他的脸上纤毫毕现。马锐托着洗净的毛巾从外面的阳光中走进来，经过他的身旁，尽管他俩一个逆光一个迎光面部感光不一，但还是可以清楚地辨认出这父子俩相像的地方。他俩同时进了屋，脸一下都阴了下来。整个房间都处于昏暗的、朦朦胧胧的光线之中，人的面部线条也显得模糊，只有那块门帘明亮、透明，飘飘拂拂，图案生动。

院里其他住户开始走动、说话，妇女们陆续出来洗菜、淘米，准备晚饭。水龙头始终开着，哗哗的水声不绝于耳，落进空盆声音清脆，浇在物体上响动闷浊。

马锐在墙上挂着的一面方镜前，仰着头把乱糟糟的头发压压平，走到桌旁对称放置的另一把藤椅边抬屁股坐上去，顺手从桌上拉过一张马林生看完的报纸，打开举起来无声无息地看。

外面的水声时大时小，忽而奔泻如瀑，忽而淅沥如雨。马林生终于按捺不住，放下报纸匆匆出屋，行进中解着裤扣。

马锐一动不动，依然故我，一张报纸完全遮住小脸，两只小手紧紧捏着报纸两边。

“晚饭咱吃什么？”马林生在挂着的毛巾上久久地擦着手，若有所思地问。

“随便。”报纸后面传来马锐的回答。

马锐放下报纸，父子二人对视了片刻。马锐目不转睛地看着父亲，再次明确地答复，“我无所谓，您想吃什么？怎么吃？”

马林生移开视线，走回自己的座位，摊手摊脚坐下，腆起肚子，“我也无所谓，怎么都成。”

“那就还吃面条吧。”马锐重新举起报纸看。

“老吃面条你营养够吗？”

“不懂。”马锐专注地看着报纸摇头。少顷，自言自语道，“这两年肚子里倒是没长过蛔虫。”

马林生乜眼看看儿子。马锐把报纸翻过一版，仰着脖聚精会神地看，目不斜视。

“咱们一起做吧？”马林生开口道。

马锐把报纸一合，啪地拍在桌上，率先噔噔走向屋外的小厨房。

父子俩相对而坐吃着简单的晚饭。整个房间响彻着吞吸面条的呼噜声，这响声大都来自马林生口中。他大口、毫无顾忌地把成批的面条吸进嘴里，吃得十分尽兴，摇头摆尾边吃还边咔嚓咔嚓咬着大蒜。

马锐笔直端正地坐着，用筷子把面条缠成一卷放入口中，像个女孩子似的小口嚼着，每当父亲发出咆哮之声便投去一瞥。他似乎在示范着面条的正确吃法。

马林生察觉到儿子的目光，略微收敛了一点，一会儿，又情不自禁了。

“几点了？”马林生脸红脖子粗地趴在碗上，瞪着一双大眼口齿不清地问。被他含在嘴里的一排面条像京剧老生的髯口悬挂至碗里。

马锐回头看了眼墙上的挂钟，回答：“七点过五分。”

“快开电视，看新闻。”马林生嚷，端起碗，面向电视坐正。

马锐开了电视，又回到桌旁坐好，继续低头吃面，只是不时看一眼荧光屏。

电视里不断出现工业增产农业丰收市场供应充足的画面，接着是不同行业的干部们在开会衣冠楚楚的国家领导人笑眯眯地会见肤色各异的外国要人、大亨什么的。

“这个地方我‘四清’的时候去过，穷！就是出枣。过去遇上荒年，老百姓没吃的，都去打枣——嗬，现在也丰收了……”

“这不是那什么吗？过去是醋厂，现在怎么改酒厂了？噢，大概是原料产地作物改了，因陋就简……”

马林生边吃边评论，介绍着背景，不时指着出现在画面里的某个有身份的先生郑重地对儿子说：

“这人到我们书店买过书，非常有学问非常和气，他买的很多书还是我给他推荐的……”

“这个人你该有印象吧？你们学的课文里有一篇就是他小时候写的《春到汾河》。这位老兄的文笔我可不敢恭维，半个世纪过去了，还是小时候那样，书倒一本本出，眼下我们只好把他的书放在儿童读物柜台出售了，我是搞书的我可知道他……”

谈笑风生间，马林生已吃完了面条，碗筷放在一边，仍津津有味地盯着电视屏幕自言自语、评头论足。

“又是他，又是他，怎么越长越像熊猫啊……”

他扭头看了眼儿子：“吃完了？吃完快去把碗刷了，咱们各刷各的碗。”

马锐坐着不动：“我等等。”

“还等什么？我早说过，各人的碗各人刷，你该学着料理自己的生活了。”

“我想看看这电视里有没有你不认识、没去过的地方。”

马林生嘴绊了一下，瞧了一眼儿子，不吭声了。呆呆地看了会儿电视一别脸嘟哝道：“没劲——快国际新闻吧。”

马锐拿着自己的碗筷出去了。

马锐洗完碗回来，电视里已经开始播放卫星传送的国际新闻。画面上不断出现在海里游弋的军舰、空中呼啸飞行的战斗机、扬着炮口在沙漠中行驶的坦克装甲车辆以及穿着迷彩作战服的美国大兵。电视播音员正在报告海湾局势的最新发展。

“您说美国和伊拉克能打起来吗？”马锐问他爸。

“难说。”马林生皱着眉头盯着电视，认真地思索，“目前局势复杂，我一下还不好妄下判断。”

“您希望他们打起来吗？”

“打仗总不是好事，不管什么原因。战端一启，万死千伤，外国人也是人啊……”

“我倒希望他们打起来。”马锐说。

“为什么？”马林生奇怪地看儿子。

“电视好看了。”马锐说，“每天起码半小时战况报道吧？都是真枪真炮最现代化的战斗——多带劲！”

马林生想了想，点头道：“那倒也是，有的说了——你觉得美国能打赢吗？”他征询儿子的意见。

“最好别像打巴拿马似的，一锤就砸烂了。让伊拉克也打几个胜仗，打仗有胜有负才好看。”

“没错。”马林生不自觉地赞同儿子的意见，“一边倒没意思，比赛要精彩必须两个队水平差不多。”

父子俩热烈地讨论起美伊双方的军力孰优孰劣，一旦交火可能出现的战局。讨论到后来又变成互相感慨。

马林生叹道：“要说如今的世界，还真得有几个美国这样的，以天下为己任，世界上哪个旮旯出点事都跟自己家着火一样着急。一百多个国家呢，那就跟一百多个孩子一样，时时刻刻总得有几个调皮捣蛋闯祸的……”

“对，得有个美国这种自告奋勇拿自己当全世界人民亲爹要求的。”马锐一本正经，侃侃而谈，“不过这爹现在透着老了，碰上伊拉克这种身强力壮的大儿子也有点打不动，得招呼老哥几个都搭把手……”

“我说你小小年纪怎么对国际上的事这么清楚——风云变幻？”马林生听着觉得有点不是滋味儿，冷不丁轧住话头，“这些事你搞那么清楚干吗？”

“关心呗，同学之间没事也议论。”马锐被扫了兴，懒洋洋地说。

马林生打量着儿子：“我在你这岁数可说不出你这些话，早熟了点吧？”

马锐瞟他爸一眼，眼中似含悯意。

“今儿作业做了吗？”马林生严肃起来，坐直身子，人似乎高了一截。

“没有。”马锐说。他看着马林生把眼睛完全瞪圆，才接下去补充，“老师没留。”

“可能吗？”马林生冷笑。

马锐耸耸肩。

“少来这副怪样子！”马林生断喝，“哪学的这套！你知道我平生最恨的一种品质是什么吗？”

“撒谎。”马锐坦然回答。

“没错！”马林生失去控制地尖叫。

“你还没弄清我是不是撒了谎。”

马林生狠狠瞪着儿子，用那种自以为重似千斤的目光。马锐纯粹是出于不想惹他，避开他的视线。

马林生在没有对手的情况下，保持着自己咄咄逼人的姿态，久而久之，他真相信自己的目光起到了威慑的作用。

“你可以去问我们李老师——查证。”马锐实在不忍再看他爸这副自个儿唬自个儿的样子，提醒道。

“你以为我不会去吗？”

天黑后，马林生回来了，全然没有捏住了别人短处的那种得意，只是更加威严更加庄重就像一个不抱偏见、公允的法官步入法庭。

马锐也没有一丝得意的神情，尽力使自己在昏黄的灯下显得无辜、弱小。

“你没说谎，我已经找你们老师问过了。”马林生说，带着一种为自己勇于承认事实而骄傲的表情。

“我要真想骗您，就不会找这个借口了。”马锐可怜巴巴地说，话里透着委屈，他想给父亲一点安慰。

“我相信你，应该诚实。”马林生带着肯定、赞许的语气说——

但没有一丝歉意，“不过，虽然老师没留作业，但自己也不能放松要求，要珍惜时间……”

“是是。”马锐使劲点头，热烈、恭顺地望着父亲的眼睛。

“这样吧，”马林生以父辈特有的和蔼、慈祥的语气说，“你把昨天的家庭作业再做一遍。”

“有这必要吗？”马锐一下火了，所有的企盼、侥幸刹那间便都破灭了。他做尽姿态，仍没能哪怕一次改变其父的习惯所为，“做过的作业再做一遍能起什么作用？”

“巩固一下学到的知识，有什么不好？”马林生此时倒显得轻松了，慢条斯理地说，颇带几分调侃，“学过的知识真掌握了吗？就能一辈子不忘？”

“谁能学过什么都一辈子不忘？有什么必要非一辈子不忘？你小时候学过的东西到现在都一点没忘？”

“所以我希望你比我强嘛。”马林生笑着说。

“想做到这点根本不用这么费劲。”马锐气得把脸扭到一边，“照这么着，不但比不了您强，反倒可能跟您一样了。”

“你还自视颇高嘛。”马林生的笑变为冷笑。

“我利用这时间学些新知识不好吗？”马锐央求。

“你杂七杂八的知识已经学得不少了——净些没用的！”马林生板起脸，“你不要再争了，争也没用，照我说的去做，否则，只怕你哭一场后还得做——你最好认清形势。”

马锐愤怒地看着父亲，马林生像块风吹雨打岿然不动的礁石眼睛眨也不眨一下。马锐服从了，眼中含着屈辱去拿书包。

“不要去里屋，就在外屋桌上做。”马林生冷冰冰的声音传来。

马锐拎着沉重的书包坐到桌旁，从里面掏课本和作业本以及铅笔盒。他眼中已没了愤慨，嘴角似乎还挂着一丝微笑。

他坐好，摊开课本和作业本正待写算，冷不丁抬头一脸微笑地问马林生：

“您特满足是吗？”

“少废话！”马林生勃然大怒。

马林生侧身倚在圈手藤椅上沉思着抽着烟。台灯罩低垂着，在桌面投射出一个明亮的带清晰周长的光圈。光圈里铺着一本干干净净一个字也没有的稿纸，旁边放着笔、胶水、剪子和小字典。这台灯投射出的光圈是整个外屋的唯一光源。屋顶灯已经熄了，马锐也早做完了作业，此刻正躺在里屋的大床上看书，从敞着的门只能看到他一侧身子和一只朝上斜伸着的光脚丫子。里屋泻出来的光把门的轮廓投影在外屋黑魆魆的地上。月光笼罩着玻璃窗，使玻璃发出冰块一般凛冽的光泽。

马林生就坐在这半明半暗之中慢吞吞吸烟，灰白的烟雾在脸旁云一样萦绕，不时使他月亮般地被遮住一部分俄而云开月出，他的姿态充分具有处于忧患的领袖或家长的风度——令人肃然起敬的那种。

马林生正透过桌对面横放的一面大壁镜欣赏着自己。

他如此夜伴孤灯吞云吐雾已经差不多有十年了，他的职业使他本能地选择了写作作为消闲方式。开始，当他是个头脑简单的年轻人时，他还能把那些单纯念头诉诸文字。随着思想成熟眼界的开阔，他简直无从下笔了。每当他心平气和地在这安静的一隅坐下，脑瓜便像一口煤火上的锅沸腾开来，锅里滚开的是类似那些著名扒鸡的百年老汤。这汤是如此黏稠、百味杂陈以至无法清清爽爽制作出一道小菜除非连锅端上方后快。无数精彩的片段像煮烂的肥肉不断地滚泛上来又沉淀下去，灵感的火花如同鞭炮在他脑海里噼噼啪啪爆炸又归于沉寂。他像一个没有助手的老迈的大师，眼睁睁地看着自己宝贵的才华随生随灭束手无策。他苦恼、焦虑甚至暗地里饮泣，哪怕最微不足道的一个念头记录下来也足以惊天地泣鬼神啊！他试图按捺自己才华的迸溅，逼着自己学些匠人的耐心和条理，可是拦不住啊！谁能控制一座火山的爆发使其造福人类譬如取暖烧饭什么的？后来，他也习惯了。有段时间，他甚至想去做一个编辑，把自己的才华无偿地提供给那些耐得住性子擅长成千上万写字的庸人，这就像日本的技术和中国的资源相结合，那会形成一支多么可怕的力量！当然，这一念头同他其他所有的念头一样，不了了之。不过，这倒使他认清一个事实：最好的文章只存在于某些默默无闻的人的头脑里。

他为自己拥有这么一个头脑而自豪。

再后来，他这个抽烟枯坐的姿态成了一个象征，一个嗜好，纯属个人的嗜好。只有他自己才知道造物曾给人类文明提供过一个什么样的发展机会——他为整个人类遗憾。

马林生险些热泪盈眶，他弄出一些微小的响动。这时，他从镜子里看到躺在里屋床上的儿子欠起身歪头往外看，由于里屋很明亮,他能清楚地看到儿子的一举一动。马锐看了一眼,又躺下了，只留下一个光洁粉红尚未因脚气的骚扰而糜烂蜕皮的脚丫。

他在观察我！马林生像个受到生客打搅的名人不快地想。随之有些气馁，有些狐疑：是否有些失态，过于搔首弄姿？他注视着镜中的自己，像副面具似的严肃起来。尽管他知道从儿子的那个角度看到的只能是他的背影，但就是后背也应该给人以尊严。

他正襟危坐了很长时间，像面对群众坐在主席台上的什么人或招摇过市的奇装女郎在忍受落在脸上身上的视线的同时尽可能显得从容不迫，舒展大方。这姿势很别扭，妨碍了他那流畅的遐想。

终于，他立起身，跟谁赌气似的大步走向里屋。

里屋明亮的灯光下，马锐躺在铺着凉席因而十分平整的大床上睡着了。头歪在一旁，一侧腮帮压着枕头使嘴略张着露出几颗白牙；一只胳膊从侧倾着的身子底下伸出来，手软软地垂着，咫尺处摊着一本看了一半的厚厚的书。那是本去年在成年人中流行过的社科类图书。显然他是在看书的时候睡着的。

他对父亲的到来毫无知觉。

第二章

马锐在刚出生时是个可爱的婴儿，在同时出生的那拨婴儿中他被产科的护士们公认为是最漂亮、最雄壮的。在他全部婴幼期乃至儿童时代他都很惹人喜爱，像个女孩儿似的乖巧懂事听招呼。他比同龄孩子差不多要早一个月学会翻身、坐起、走路、定时排便乃至说话、穿衣和用匙吃饭。从没缺过钙和其他金属元素。他曾经是马林生的骄傲和魂魄所系。

后来，他不那么听话了。尽管没遇到过饥荒，他还是越长越丑了。呆头呆脑，脸上身上永远不干净，几乎每隔几天就要给马林生闯下一些祸。这使马林生渐生嫌厌，他甚至认为儿子从外形上也越来越不像他，完全长走了样儿。直到他翻看旧照片时发现自己在儿子这个年龄也是这副德行，由于衣衫褴褛还不如儿子现在精神，才不在呵斥中提及这一点。但他坚持认为他当时要比马锐现在质朴，肚子里没那么多坏水儿。

他没料到他和妻子离婚时马锐竟坚决要求跟他生活。他一直认为儿子和母亲的关系要亲密些。他在家里一直是同时扮演上帝和护法金刚这两个角色的。儿子从小到大所经受的暴力袭击，除了一小部分发生在同伴之间，最悲惨最屈辱的几乎全来自他这个父亲。当然他是师出有名。他的刚烈、正直、勇猛以及有错必纠有反必肃的严格劲儿都和母亲的迁就、温和乃至毫无原则地护犊恰成鲜明对照。他不认为儿子正是因为瞧上了他的这些品格，认清了做母亲的伪善，从大是大非的立场才决定跟上他的，尽管他一向从大是大非的立场上来教育孩子。

他第一个想到的原因是儿子是母亲留下的坐探，意在监视他。这想法很快连他自己也觉得可笑。既然离婚了，他和妻子的长期混战也自然停止了，他们成了各不相干的陌路人，既没有共同利益也不再存在感情纠葛。谁还会关心谁呢？冲突也无由而起。另外当他看到母亲因为儿子决定跟父亲生活时的那副伤心样儿，他有些惭愧。

除此之外，也许是儿子觉得父亲收入略高跟着生活水平不至于下降过多。这念头一出现就让马林生觉得恶心，这不啻为是对人间最伟大的情感之一——人子之情的亵渎。同时，他也不无心酸地想到，他还没阔到足以令儿子嫌贫爱富的地步。

除了那些伟大的、光荣的、在哪儿说都让人挑不出什么来的冠冕堂皇的说辞还有什么呢？

马锐在回答他父亲小心翼翼的询问时曾很不严肃地笑嘻嘻地说，他怕他父亲一个人照顾不了自己，因而留下来承担母亲职责。

又曾貌似忠恳地含着泪说：“我怕你忘了我，妈妈是永远忘不了我的。”

虽然马锐如是说令马林生感动，但常识告诉他，这绝不是真正理由。动听的话可以使人像喝了酒似的产生欣慰，但只能麻醉幼稚的人，甭想蒙蔽像马林生这样见多识广的老手！没人教过，也忘了是从什么时候开始，完全是凭马林生自己的机灵劲儿，他掌握了毋宁说是练出了一种生物本能如同天冷皮肤起鸡皮疙瘩一样：一旦谁万分诚恳地向你灌米汤，手一定要捂紧口袋。

事实很快证明了马林生的谨慎是有道理的。从妻子离去，马锐单独跟着爹爹过日子那天起，他就一直没有过哪怕是一丁点儿小鸟依人的惹人疼样儿。他妈的一点不像个没了妈的孤苦伶仃的孩子。他倒从容了，跟当爹的分了工，每天进进出出忙着自己的事。父亲不主动，他连最小的事也不请教，完全把自己管起来了。瞧他跟父亲说话时那样儿，带答不理的，就像被扰了清静的商店售货员。亲生儿子弄出那远房亲戚的感觉来了。

这是个阴霾的休息日。马林生一觉醒来仍哈欠连天。枉耗心血的彻夜苦思常常使他入睡后仍不能平静，各种奇思妙想以更荒唐更纷乱的形式百倍活跃地在他大脑中涌现，犹如一支支离弦之箭搞得他心力交瘁，每次醒来都像躺在手术台上感到全身麻痹嘴里苦涩干得一点唾沫都没有，心情像少女诗人一样忧郁。他很想再立即睡过去，但作为一个父亲，总不能是个留恋床铺瞌睡虫般的形象，按时起床几乎是责无旁贷。他很怀念单身汉的日子，那时他常常整天沉溺在梦境之中，终日似醒非醒，惬意地蜷缩在被窝里任思想飞驰。他强迫自己拖着身子从床上爬起来时，心里充满怨恨，他觉得自己的某种权利被剥夺了。

他无精打采，满面倦容地在屋里踱来踱去。他起来干吗呢？当他做完所有琐碎的洗漱进食动作后，这种感觉更强烈了。他确实是无所事事。他早就对自己默默承认了，从妻子离他而去之后，他一个朋友也没有了。就是说，不管他闲成什么样儿，也没有人来造访，既没有人对他说也没有人听他说。他像一个外国人生活在自己的故乡。

他只好在桌前的那把藤椅上坐下，这是掩盖空虚的最佳姿态。

马锐在院里独自对墙打乒乓球，借助墙的回力一板接一板地抽球。从屋里看不到他，只能听见球鞋胶底在硬地上移动摩擦的吱呀声和小球打在青砖墙、球板上一声声类似坚果破裂的脆响。

难道他也没有朋友吗？这一声声有节奏的脆响令马林生既忧虑又安慰。

有时球落到地上，他可以看到儿子弯腰的身影在窗上一闪。

击打乒乓球的声音停止了，马锐满头大汗地跑进屋，端起柜上晾着的一杯凉开水一饮而尽，看了眼父亲，又跑了出去。

这一瞥使马林生感到一份温馨，心里那空落落的感觉抹去了一些。

窗外响起一个女孩子清亮的嗓音，“你怎么没出去玩呀？”

“没劲，出去玩有什么意思？”儿子闷声闷气地回答。乒乓球的击打声在两个孩子的问答声中仍继续有节奏地响着。

“星期天也不出去玩？”

“我这不是在玩嘛。”

他知道跟儿子说话的女孩儿是同院夏经平的女儿夏青。她和马锐是同学，好像还是班里的一个小头目。儿子和她的关系平时看上去很一般，有几次他带马锐出去，在街上或胡同遇见夏青，互相连招呼都不打，女孩子时而还朝马锐笑笑，马锐则总是一副视若无睹的表情。但有时在院里他们似乎见面还说说话。从前，小时候他们是很熟的。

“一个人打乒乓球有什么意思？我跟你一起打吧。”他们院外头的胡同里有两张水泥砌的乒乓球台，那是和他们胡同搞“军民共建”的驻军某连修的。

“你哪能跟我打？你哪是我的对手？”

“练练嘛。”

“不行，跟你打更没劲，净捡球了。”

“……”

“你怎么没出去呀？我看你爸你妈一早就出去了，你妈打扮得跟花蝴蝶似的。”

“他们去逛大街买东西，叫我去我没去。我不爱跟他们一起上街，我妈买东西那挑那磨蹭还不够烦的呢。”

“女人呗，你长大了没准儿也那样。”

“我才不会呢。”

马林生听到女孩儿清脆的笑声。他蓦地发现自己实际上在竖着耳朵听他们的谈话，不免有几分赧颜。这时天晴了，太阳破雾而出，一抹阳光越过鱼鳞般的房脊穿透窗户直射到他眼上，他眼前一亮，接着就无法正视那道耀眼的阳光了。窗里窗外同时明亮起来，瀑布般的阳光从院内那棵老枣树的浓荫中过筛般地纷纷扬扬洒下来，无声地坠落在地。两个孩子仍在窗外的阳光中说话儿，女孩子好像借给男孩子一本书看，他们在谈论那本书的印象。

“你觉得写得好吗？”女孩儿问。

“不好。”男孩儿傲慢地回答。

“哪点不好？”女孩子急急地问，显然这是本她喜爱的书。

“无聊！酸！像是一手绞着手绢一手拿着笔用牙咬着笔杆写出来的。”

“本来就是女的写的嘛。”

“所以说酸嘛，满纸香喷喷的——你现在开始用香水了？”

“没有没有，我像那种人吗？你闻闻我身上，有香水味儿吗？这本书我妈妈看过，她也觉得好，还哭了呢。”

“你也哭了吧？”

“没有，真的没有……不过看的时候也挺感动，眼圈红了，忍住了——你不觉得感动吗？”

“不觉得——有时觉得恶心。”

“写得多细腻呀有几段！一个那么纯洁的女孩子失去了一切她所希望的，全部的梦想化为泪水——你怎么会不感动？你们男的真是……读到这儿谁要不感动那他不是木头脑袋就是铁石心肠。”

“哟，哟，说着说着就不行了，你可别当着我面哭出来。”

“去去，谁要哭了，讨厌！”

马林生听到这里暗自窃笑。他有强烈的冲动想出去加入他们的谈话，弄清他们说的是哪本书作者是谁，评价书那是马林生的强项啊。但他克制住了。他毕竟不是那种喜欢表现自己炫耀自己的毛头小伙子，他是那种具有真才实学茶壶般肚大嘴小的老成持重者，真正的专家风韵。他继续听下去，脸浮长辈那种宽容、慈祥的微笑。

男孩儿带着郑重的口吻一本正经地教训、开导着天真幼稚的女孩儿。

“你想啊，真正的痛苦，那种深沉的感情能像这个酸姐们儿那样溢于言表……那成语是这四个字吧？”

“对，没错，溢于言表：充分地、毫不掩饰地外露于言谈话语之中——上星期周老师刚讲过。”

“我老是想把它念成溢表言行……溢于言表吗？不能！为什么说把痛苦深深地藏在心里？就连咱们，在日常生活中受了什么委屈也不愿说出来，让别人去议论，都是使劲儿掩饰，强颜欢笑。”

“那倒也是，说出来有什么用啊？只能让别人幸灾乐祸，最多是不值钱的同情。”

“最多是不值钱的同情！那些大喊大叫自己痛苦的人全都不

是真正的痛苦，才敢拿出去展览、展销……”

两个孩子吃吃笑起来。

“喂到别人嘴里去咀嚼……这是念咀嚼吗？我老是念成嘴嚼，我老是觉得这‘咀’是‘嘴’的简写。”

“我也弄不清应该怎么念，你往下说吧，我懂你的意思。”

“搁到别人嘴里去嚼，嚼烂了，嚼出渣儿来，嚼出白沫儿，嚼成口水，嚼烂舌头……”

马锐忍不住先笑了，夏青也跟着笑起来。

“嚼不出词儿来了？”

“没词了，你想那能是真的吗？不嫌寒碜都。”

“你说的倒也有点道理。”

“是真的又怎么样？”马锐越发的来劲，声音提得很高，“也用不着这么自个儿可怜自个儿。我最讨厌那种想从别人那儿得到点什么反倒吃了亏把自己弄得可怜兮兮的人，活该！你凭什么想要什么就得得到什么！你要是无私的怎么会觉得挨了坑？”

“我不同意你这种说法。什么叫想从别人那儿得到点什么？将心换心……”

“你听我说完！”马锐不耐烦地打断夏青，“你们女的就这点叫我瞧不上，见个人就把心掏出来一份换一份，农贸市场卖菜的似的，人家要换换或挑挑你们就不干了。”

“什么叫我们女的是农贸市场小贩？”夏青嗓门也拔高了，“你们男的才是呢。人家来转转，你们就吆喝着非拉着人家买，人家真买了就缺斤短两坑人家。”

马林生本来想笑，但笑将出口便觉不妥，强忍着生把笑声噎成了咳嗽。他大声咳嗽着，暗暗思忖：“这都什么乱七八糟的，才多大。”

窗外一下没声了。半天才听到夏青压着嗓门问马锐："你爸在家呢。"

"在。"

"会不会听见我们说话？"

"听见就听见呗，咱们也没说什么。不一定听得见除非竖着耳朵听。"

一句话说得马林生面红耳赤，忙俯身于桌做专心致志状。

"咱们说话小点声。"

"你先大声的。"

"我也没叫啊。"

两个人在窗外嘀嘀咕咕。只听马锐隐隐约约地说："关键是她还重复……翻来覆去的都是那么一点点事一点点感受……"

夏青好像被马锐说服了，同意他的观点，称赞了一句马锐，"你挺有主见的嘛。"

接着听到女孩大声说："太阳晒过来了，到我家去聊吧，我家没人。"

"不去你家。"男孩说，"你们家铺的地板革，进屋还得脱鞋。"

"你不爱脱别脱呗。"

"回头踩脏了你妈又得说你。"

"不怕她说。"

"你何必招她说呢？就到我家不就完了？"

"你爸不是在家吗？"

"他在家怎么了？"

"说话不方便。我不喜欢两人说话旁边坐着一个大人听。"

"我爸没事，他不管，咱们就当没他。"

话音未落，马锐和夏青已经一前一后掀帘进了屋。夏青规规矩矩地冲马林生问好，“马叔叔好。”

马林生此时只能做慈祥状，颔首微笑，假装恍然发现：“夏青来了，你好啊。”他拧过身子，笑眯眯地，“马锐，给夏青倒水，冰箱里有酸梅汤。”

“您忙吧，马叔叔，别管我，我渴我自己倒。”夏青一脸堆笑，脚一点点往里屋挪笑脸始终迎着马林生。

马林生本来还想多说几句，见状也只得掉身重新面向桌子：“到这儿别客气啊夏青。”

“不客气我不会客气。”夏青一步进了里屋。

“你爸人挺好的，事儿不多。”

“还行吧。他知道给自己留面子。”

两个孩子在里屋叽叽咕咕地说话，不时爆发一阵无拘无束、发自内心的愉快笑声，间或还可听到喝水时牙齿磕碰玻璃杯的声音和水流进喉咙的汩汩声。他们的话题转到了学校里的闲事，议论着某个他们共同不喜欢的同学或老师。通过只言片语可以发现他们对一个人最刻薄的评价就是“假得厉害”。凡是被他们冠以这一评价者他们谈起来都使用最轻蔑的口气。偶尔他们对某个人某件事看法也会发生分歧，但更多的是一个人对另一个人的随声附和。显然他俩已不止一次在一起这么密切交谈了，谈话中洋溢着对对方毫无保留的信任。

能有一个观点相同的人和自己在私下无所顾忌地非议他人是一件多么惬意的事啊！几乎可称得上是一种享受。不必拐弯抹角，不必语藏机锋，尽管使用最粗鲁、最极端的字眼，哪怕进行最露骨的人身攻击——这种直言不讳非但不会招致灾难反能引起钦佩、崇敬乃至五体投地的机会在马林生的记忆里已经是很遥远的事了。

他甚至能直接感觉到儿子作如此慷慨激昂表演时所产生的那种兴奋和快感犹如他自己在如是说。

他早已离座而起，徘徊在外屋的方寸之地，几次走到里屋门前，终因想不出合情合理不太唐突的切入方式不得不临渊而退。他的脚步很轻，近乎于蹑手蹑脚，因而虽屡次摸至帐前但未惊动屋里人，同时他也准备随时将自己的行为解释为帮助思考的踱圈。

“真不喜欢她！都不知道她怎么混入的教师队伍。除了会照本宣科，其他方面就等于是个文盲，还是那种比较无礼的文盲……”

“比你妈还无知。”

“我妈也比她强啊，起码不像她不懂装懂。我最恨不懂装懂像她那样的老师。明明说错了露了怯死不认错还就按错的往下讲嘴硬得什么似的……”

“茅坑似的。”

“你要好心给她提个醒儿让她别那么当众出丑——她还恨你！说你捣乱……”

“你拿这种无知的人有什么办法……”

马林生像一只灌满开水的暖水瓶，袅袅升腾的热蒸汽都要把盖得紧紧的木塞儿顶翻了。孩子们的对话如同解开铁链打开笼子的手使他急欲一下蹿出去，真知灼见妙语狠词就像一窝鸽子纷乱地拍打着翅膀翘首待飞让嘹亮的鸽哨响彻一望无垠自由自在的碧空。

他差不多开始恨自己了，恨自己的腼腆、羞涩、患得患失。这不是在万人大会上，也不是什么要人的接见室，更不是狮虎山女澡堂什么的。里面不过是两个乳臭未干的孩子。他恍然觉醒：我怕我儿子干吗！这是我的儿子，我有权利也有能力摆平他！他给自己打着气，一头闯了进去。

他满脸微笑。

女孩子背对门坐在大床沿上，马锐脸冲着女伴坐在自己的单人床上。女孩子手里端着一盛满清水的玻璃杯边说边从杯里饮水，男孩儿手里夹着一支吸了一小半的香烟边说边挥舞着拿烟的手做着手势加强自己的语气表情严厉如同一个爱发牢骚的离休干部。

他们的确有点像两个正在鬼鬼祟祟发牢骚的大人。那种愤愤不平和鄙夷并存的表情，深恶痛绝、急急倾诉不乏武断结论的口气无一不形神兼备、惟妙惟肖。

马锐一看见父亲就傻了眼，冒出嘴边的话像被刀砍断了，半截含在嘴里。手里的烟变戏法似的倏地不见了，残留下的烟雾像画在黑板上的横七竖八的粉笔道缓缓地扭曲、变形，一股股飘散开来。

他紧张地站起来，面红耳赤，神色惶恐。

夏青扭脸回头看，脸也一下红了，她先是为自己扮演的角色不安，接着就全剩下为马锐担心了。

此情此景倒使马林生一下不知如何是好了，他比那两个孩子更尴尬更束手无策。这场面他完全没有料到，不由他不痛感到自己的鲁莽、轻率、时机选择的笨拙。

他使自己完全显得像一个有预谋有目的地去抓邻居赌博的街道积极分子。

显然，这种气氛下再想进行平等、自然、亲切有趣的交谈已属枉然。儿子眼中的惶恐消逝后，代之而起的必然是谴责和愤怒，尤其在有女性在场的情况下，他必定将以挑战和无畏的姿态对待父亲哪怕最温和最善意的垂询，就像当年他和他父亲在类似场合相遇一样。

马林生陷入了犹豫和两难的境地，如果这时掉头就走，那无疑更像是一次卑鄙的窥探。最好当然是像所有聪明、有教养的父亲一样装一次傻瓜，使孩子们的不安消弭于无形，然后从容撤退。

于是，他真像一个二百五那样傻呵呵地笑着，愉快地眨着眼睛，说道：“你们聊得真热闹呀。”

这话问得相当愚蠢，大有已将全部内容窃听而去后的揶揄味道。另外他那个眨眼的动作也不得体，显得有点下流。

孩子们注视着他，一声不吭，他们一点也没被他制造的假象所迷惑所打动。女孩儿眼中甚至隐隐出现了一种被人带有夸大色彩误解了的担忧。

他继续像个扮演白痴的蹩脚戏子连连发问，就差没流口涎了，“你们谈什么书呢？借我看看好不好？”

马锐仍旧不接他的话茬儿，站在那里像个等待泰山压顶的力士。后来他便靠在墙上，两手抱肘，垂下眼睛盯着自己的脚尖。

夏青出于善良，勉强笑笑说：“没说什么，瞎说呢。这是我们小孩儿看的书。”

如果马林生再认不清自己的处境，那他真是个十足的傻瓜了。那两个孩子眼巴巴地等待着，期望他尽快离去。这种毫不掩饰流露出的愿望刺痛了马林生，他感到一种被误会被不公正地对待后的委屈。这使他的目光变得茫然，动作僵硬、不协调、无目的。他下意识地拿起枕边的一把折扇，似乎他进来就是为取这东西而来，然后在孩子们沉默的注视下蹒跚地走开。

一出屋，他就抖开扇子用力扇起来。内心的紧张使他一下出了一身汗。

他十分沮丧，万分的沮丧，甚至有些轻视自己，接着他心头掠过一阵狂怒。

他前脚出屋，后面屋内便立即响起录音机播放的乐曲，孩子们在乐曲的掩盖下嘁嘁喳喳地低声说话。清晰、用力的旋律如一条长蛇顺着他的耳朵爬进他的身体，源源不绝，并在他的体内蜷缩、盘踞下来；一圈圈增粗，堆积上去，使他体内充斥、胀满了异物感乃至失聪。

夏青从里屋出来，向他告别时，他只是冷冷地点了点头。

马锐在马林生的注视下噤若寒蝉。整个下午他都在等待那顿意料之中的盘诘和训斥降临，令他困惑的是父亲始终没有发作。他曾几次有意吸引父亲的注意，就一些鸡毛蒜皮的小事进行请示，期望不可避免的事情及早发生尽快结束。可父亲总是就事论事地随便应他几句并未由此引申借题发挥，似乎还有些嫌他过多打扰了他。后来，他请假说想出去玩玩，父亲竟挥挥手痛快地同意了。马锐满腹狐疑地走出了家门，像个在刑场突然被刽子手私放了的死囚一边奔向自由一边提心吊胆等着身后那声枪响，那枪始终没响。

马林生的目光是空洞的，视若无睹。年轻的马锐根本无从体察。最初的愤怒过后，他很快便陷入一种更大的忧郁，这是对他整个人生处境的关注和反省。经过一个由表及里由微见著的检视过程，他无法不承认自己的渺小、空虚和无足轻重。这种巨大的酸楚和失落并不能通过管训儿子得到抚慰和平衡，反使他觉得自己更可怜更卑微。一个可怜的人利用另一个更可怜的人的不幸地位得到满足，他就因此万事亨通了吗？一个叫花子是不在乎牙齿上有龋洞的，他需要每个遇到他的人礼数周全的问候吗？

他委实失去了讨伐儿子的兴趣。

整个下午他都在看一本受到广泛吹捧的小说。起初是漫无用心的，看到三分之一处，他的全部才智便被激活了焕发了，眼光也因之变得锐利。他看出了书中的许多纰漏：妙处初露萌芽便戛然而止转述其他线索未得到有力的发展，距大境界仅一步之遥；正当微妙动人令人意趣盎然却倏地落入俗套精彩描述之后接着大段干巴巴的说明性文字令美感荡然无存。他像一个经验丰富的老中医很快地把握住了作者的思想脉搏。饶有兴趣地注视着作者怎样从灵感喷涌葱郁的高峰跌入才尽智竭的干涸低谷，又是怎样煞费苦心维持着奔驰的速度使之踉跄抵达终点不致半途而废。他欣赏地观看着作者在通往不同方向的三岔路口踌躇不前难以抉择，如何因为不肯割舍而把两段互不相干互相冲突的情节拼凑到一个画面之中造成累赘和蛇足。何处是真正的高深莫测，何处又是不知所云货真价实的语无伦次欲盖弥彰。

一个人的伟大、完美可以使人自卑、泄气。同样，一个人的平庸和缺陷也可以使人自信、振奋。马林生由于抓住了这本书的作者露出的马脚开始感到心情好转。他的注意力离开书本，设身处地地认真琢磨起如果由他来处理这些素材，写这么一本书，他将如何下手。他高屋建瓴地创造性地完善发展了原作者的构思。毫无疑问，如果由他来添上一笔，整部作品将会像穆铁柱一样高出一截儿。

他感到舒心畅气，陶醉在对这本书大肆增删的遐想之中，甚至连增加的细节、具体的措辞都想到了。他在这种半梦幻半清醒的状态中，用自己头脑中漫无边际的思想重新组合排列着原书的章节字句读完了这本书，意犹未尽。

他沾沾自喜地发现自己其实相当高明。

马锐回来了，那件悬而未决的事仍压在他的心头使他苦恼，无法投入到游戏及一切轻松的娱乐之中。父亲的沉默愈发使他感到事态严重，他决定采取主动，对父亲为人的一贯了解使他不存任何侥幸。

他磨磨蹭蹭地凑上来，察言观色地看着父亲的脸，哝哝地说：

“我想告诉你……那件事是我……我只是觉得好玩并不是真的学抽是第一次真的我错了我以后……不会了。”

马林生对自己引而不发造成的压力局面和赢得的心理优势毫无察觉。他扭过脸茫然地看着儿子。

“怎么啦？出什么事了？什么你错了？”

马锐羞愧地涨红了脸。他认定这是父亲不肯原谅他的一个迹象，他想用这种明知故问有意装糊涂的态度加重、延长他的负罪感，使他更久、更深地处于惶恐之中。

“就是我刚才抽烟来着……我不对……”还有什么比让一个犯了过失的人一而再再而三地复述过失检讨更令人耻辱的？

“噢，知道错，改了就行。”马林生语气和缓毋宁说是心不在焉地敷衍，“你这会儿学抽烟还早了点，何况那玩意儿对身体也没有什么好处，不会的最好还是别学。我是已经成瘾了没办法……”

马林生说着转回身子，不再理马锐。

马林生对此事轻描淡写的态度令马锐大为惊讶。其后的几天，他显得格外听话、温驯。

| 第三章 |

那个脸色苍白的少女刚走进书店，马林生便注意到了她，他一直用不易察觉的瞥视追随着她。那是个朴素干净学生打扮的少女，有着一张非常年轻瓷器般光洁的脸蛋和略显单薄但已发育的苗条身材。在日光灯的照耀下，她的两粒黑瞳仁点漆一般闪闪发光，但嘴唇仿佛褪了色和周围的肤色同样苍白。这正是马林生喜欢的那型少女。每当看到这类少女，总要在他心里引起一种痉挛般的心酸和几乎啜泣的感动，犹如听到一首熟悉的旧歌看到一张亡友的旧照片。这类少女现在已难得一见了，而在他年轻的时候比比皆是。

对女人的看法他十几年不改初衷，基本保持了当他第一次用男人的眼光看世界时的审美观点。这也正是当他前妻由一个这类少女变成一个时髦娘们儿后他们之间发生问题的症结所在，他不能适应并且习惯这种不可逆转的变化。

那个少女在各大出版社专柜前走动、浏览着，不时停下来随手翻阅。马林生设计着自己的迂回路线，利用各种含义不清的动作的掩护从容地向她靠近。

她停在一家主要出版文学类书籍的出版社专柜前，拿起一本本装潢不一的新书翻看，似乎有些迷惘。看来没有一本书能马上给她一个深刻印象。照这样下去，她可能一本书都不买离开这家书店。

“这本书不错。”马林生站在几步开外，一个不产生威胁的位置，指着她正要放回书架的一本书彬彬有礼地说，“一般读者都不能理解，很少人买，但确实不错。”

“是吗？”少女苍白的脸上露出一丝友好的微笑，把书拿在手里，问，“为什么？”

“因为作者过于孤芳自赏，完全忽视了或者不去管读者其实大都生活在与他不同的环境中，奉行的价值观也是千差万别，如果缺乏带领很难本来也没兴趣过多关注他的缥缈思绪和心理潜流。”

“听上去你也不觉得这本书好嘛。”少女文静地注视他，轻轻说。

“这是我置身事外的说法。如果排除消遣性阅读的目的，挨过那最初的半小时，你会发现这本书在牺牲了可读性的同时赢得了一种自由：最大限度、不受任何拘束地表述自己最真挚的、不经任何装饰的原始感情。你可以看到一个人赤裸裸的内心世界。从激情的角度说，充分外露的。”

“我不太懂你的意思。”少女坦率地说，“难道这本书不是晦涩的吗？”

“从赏心悦目的尺度说是的。”马林生和蔼耐心地说，“对多数仅抱有消磨时光的打算的人来说是的。但对少数，个别，那些渴望认识人类，了解、结交另一个同类并不仅仅局限于共饮同舞的人来说——不是的。”

少女默不做声，略带困惑地翻看手里的那本书，显然，她仍旧不明白马林生的话的含义，更别提那些躲躲闪闪的暗示了。马林生佶屈聱牙的长句妨碍了她的收听能力。

“这么说吧，我们拿这本书作个比较吧。”马林生从书架上拿下一本近期畅销的情节小说，“这是本可读性很强的小说，任何具有初中以上文化程度的人都能毫不费力地读懂它。但这里有什么呢？空无一物，只有精心编织的情节和经过概念规范的人物，尽管那些对话很精彩很俏皮，但没有一句是发自肺腑的。作者给了我们什么？什么也没给。至多是很吝啬地流露一点实感其余都是矫情。他的全部精力都用于推动情节，按逻辑的当然发展预设线索，使整个故事天衣无缝、圆满无缺。他像织手套似的编这个小说，像用一个长竹竿去河里捞东西小心地保持着距离不想弄湿自己一点。布娃娃再漂亮也没有一个丑孩子嘴里的那口热乎气儿……”

“我正想找这本书，它搁在这儿我怎么就没看见。”少女热切地抓过马林生用作反面教材的那本书，随手扔开手里的那本，坦然地十分感谢地望着马林生，“我到处转，就想买这本书。”

马林生有些失望，但作为一个书店营业员他又不能拒绝出售任何东西，只能趁势建议：

“这还有几本这个人写的其他书，您不想看看吗？”

“不，我就买这本。”少女翻看着书摇摇头。她拿着这本书拔腿要去收款台交款，抬头看到马林生颇为扫兴地站在一旁，便顺手捡起刚才他热心推荐的那本书，微笑着说：“这本我也拿去看看。”

马林生脸上露出微笑，鼓励地朝少女点点头，似有几分欣慰。

“这本书怎么样？好看吗？”一个男人拿着另一本书扭过头来

问马林生。

“一般。”马林生简短地说了一句，撇下那个男人走回他通常站立的位置。

身旁的几个同事似乎注意到了他刚才和少女的热心交谈，脸上都带着淡淡的笑意，迎着他看。

他笔直地站着，矜持地不对自己的独特行为予以解释。

少女刚才最后那近乎体贴的举动，挽回了他的全部自信。要使生活变得美满、充实多么容易，只需要一个微笑，一份无声的承认和不言而喻的肯定。他用一种倾心和感激的目光注视着那个少女挟了书娉婷地飘然离开书店，汇入门外灿烂阳光下的人群。他有几分伤感又生出几分幻想：如果给他机会如同那本晦涩的书终于被人读了进去，他将像一只孔雀那样旋转着开屏，把那身绚丽多彩的羽毛尽情展现在肯欣赏他的那个人面前。

这时，有人喊他去接电话。电话是马锐的老师打来的，请他立即到学校去一趟。

马林生与其说是忐忑不安不如说是怀着腻歪的心情冒着正午的骄阳赶到了学校。他不是第一次受到这种粗鲁的召唤。他很熟悉老师们打电话给他时使用的口气和措辞，这大都表明并非儿子出了人身事故，仅仅是冲撞了老师或是犯了什么小错。老师们想要通过家长使其就范，他在这些老师眼里无异于一辆招之即来的消防车。

他进学校大门时正是下午上课前，三五成群午睡初起没精打采的学生背着沉重的书包络绎不绝地从各胡同口拥出来向学校方向走。操场上空空荡荡，进校的学生都躲在楼的阴影下聊天、打闹。这是所破破烂烂的学校，所有建筑和操场上的体育设施都显了年久失修和使用过度的颓旧。篮球架上的球筐锈迹斑斑球网只剩下几缕；教学楼的玻璃自下而上都有缺损窗框也都油漆剥落露出木头的本色；只有操场旗杆上的国旗簇新完整，在弥漫着尘土的烈日下鲜艳无比。

黑魆魆的走廊里沿墙站满眉眼不清的孩子，尖声笑叫着，互相用身体挤来挤去，当他走过时，听到一群男孩子在他身后起哄。

年级办公室里阳光充沛，但桌椅大都陈旧不堪，式样五花八门，紧紧地拼凑在一起；墙也显得不干净，钉着乌七八糟的表格、宣传画和镶着镜框的各种奖状。

办公室的气氛就像公安局的预审室，七八个老师表情严厉地胡乱坐在自己桌前，几个女的鬓发凌乱如同刚进行过一场厮打，脸色在如此强烈的阳光下仍然显得灰暗。

可想而知这里曾经发生过一场什么样的混乱。

马锐单独坐在办公室的一角，脸像哭过，有些脏，看样子午饭他也没吃，又不知如何大叫大嚷地奋力反抗过，此刻显得疲惫委顿，眼睛仍然灼灼有神。

“你是马锐的家长？”一个未老先衰的眼神冷酷的中年男人向马林生走来，冷冰冰地询问。

马林生认识他，他是该校的教导主任，马林生跟他打过几次交道，但每次他都装作是跟马林生头一次见面。

“你儿子犯了一个非常严重的错误。”教导主任严肃地说，那样子就像个面对一桩骇人听闻的罪行的公诉人，毫不掩饰他作为一个正直的执法者的愤慨。

“刘老师，你来讲事情的经过吧。”他转身对一个胸部肥大的女老师说。

“让他自己说！”这位妇女由于一头疏于整理完全变形的电烫

短发参差不齐地悬垂于脑前脑后显得有些邋遢。她显然是当事的一方，至今余怒未消，气咻咻地瞪着马锐。

马锐一声不响。

“你怎么不吭声了？你不是有理吗？”这位处于优势地位的中年妇女奚落着那个孩子，“刚才的凶劲儿到哪儿去了？有理应该理直气壮嘛。”

还是马锐的班主任，那个和马林生住街坊的李老师对马林生叙述了事情的发生经过。

今天上午的最后一节课是政治课，由这位过去一直是语文老师的刘女士讲课。对马锐这个年龄的孩子讲政治经济学、科学社会主义未免深奥了一些，因而政治课主要是进行简单的、是非鲜明的爱国主义教育。具体到讲课内容就是帝国主义侵华史、从本世纪初到共产党在全国夺取政权前中国人民所遭受的耻辱，一个又一个的不平等条约和一次又一次的大屠杀。这位刘老师大概属于声情并茂型的，为了使那些枯燥的日期、统计数字显得生动有趣，讲述中加入了相当多的渲染和议论。在抨击帝国主义狰狞嘴脸时她使用了“恬不知耻”这个成语，但她把“恬”字念成了“刮”——刮不知耻。其实这也没什么，每个人都有口误的可能，翻开《新华字典》的任何一页都有叫多数人不认识念不出来的生字，谁叫我们民族语汇丰富呢？况且这个字念错并不影响整个意思的表达，本来可以混过去的，大概这位自信的刘老师反复强调了这一有力的词组，结果……

说到这儿，这位李老师有些语焉不详了，大致可以猜出，坐在底下听讲的马锐举手了，纠正了老师的读音。他的方式无从体察，想必是彬彬有礼的，因为刘老师开始并没生气，只是叫他坐下有问题课下提，不要影响大家听讲。接着，也许是刘老师再一次使用了“刮不知耻”，可以肯定，不是有意挑衅，谁会坚持错误呢？完全也只能是无意识地脱口而出。

“这下，马锐可揪住不放了。”李老师说。

他在座位上大声说（未经允许）：“老师，念错了。”

可想而知，教室里响起了低低的窃笑，那一双双注视着老师的眼睛也失去了敬畏，充满了嘲弄。

刘老师在讲台上颇有些下不来台，但她还是克制住了（多有涵养），她耐心、和颜悦色地对马锐说：“请你不要影响课堂纪律。我说过了，你有问题可以下课后到办公室来找我交换看法，现在请你专心听讲。”

不能说老师没做到仁至义尽，这会儿不能谈的道理也讲了，但年轻人啊就是不知深浅得理不让人，马锐这时开始变得无礼，继续在座位上大声说：

“老师你错了，这用不着下课后再交换看法，我现在就可以给你看《新华字典》，那字念‘恬’而不是‘刮’。”

他有意示威似的举着一本打开的字典远远地指给老师看。

“我并不是爱面子不肯认错。”胸部肥大的刘老师对马林生申明，“我是为了能把课讲下去，不能因为我俩的争论耽误其他几十位同学的宝贵学习时间，当时课堂已经有些乱了。”

同学们交头接耳、嘻嘻哈哈，课堂上一片嗡嗡的低语声。一部分同学继续看着老师，不少同学扭过脸笑嘻嘻地看着马锐。

“有的同学就是爱显示自己，好像自己比谁都聪明。你真懂了吗？你要真的全懂了那你还坐在这儿干吗？不要一瓶子不满半瓶子咣当，瞅着谁都不如你，这种自以为是自以为了不起的态度老师最不喜欢，这种人将来没什么出息！”

“老师，到底谁一瓶子不满半瓶子晃荡又最爱显示自己？”马锐笑着大声说。

接下来就变成两个人面对面互相点着名的交锋，逐步升级。

“马锐，你不愿意听讲，你可以出去！”

“我为什么要出去？我没有不愿意听讲，是希望你讲得更好一点。”

“你出去，我现在请你出去，马锐同学！”

“我不出去，我有权利坐在课堂里，刘桂珍老师——我交了学费。”

“如果你不出去，这堂课我就不讲了。同学们，你们这堂课无法上下去原因完全在马锐，你们是想把课继续上下去呢还是听任马锐一个搅得你们谁都无法上课？”

“我们听任马锐搅得我们谁都无法上课。”一个调皮的男生回答。

全班哄堂大笑。

“你不讲课是因为你没有能力讲下去了。像你这种水平不讲也好，讲也误人子弟。”马锐在哄笑中添油加醋地说。

“听听，狂成什么样儿？”刘桂珍恨恨地对马林生说，“这样下去还得了？”

此刻的刘老师已是气急败坏，她竭力用盖过全班喧嚣的高音尖叫：

“班干部，班干部站出来！班干部在哪儿？维持一下秩序。”

在她犹如蜂虿般不停的尖叫声中，坐在靠墙那排座位的夏青不情愿地站起来，用比蚊子叫大不了多少的声音对笑闹的全班同学说：

“你们别闹了。”

她的声音几乎被一阵更大的笑声淹没了。一些孩子在暗中跺脚，拍打课桌底板，教室像一间木工房似的回荡着各种嘈杂的声响。

似乎为了不被同学们划为异类抑或是对马锐抱有同情，夏青对这片混乱场面妥协地笑了笑。

“这个班历来是全年级纪律最差的班。班干部软弱、涣散、起不到带头作用，甚至有时还对落后同学随声附和，不敢挺身而出同不良倾向作斗争，造成歪风邪气占上风。”刘桂珍肥大的胸部一起一伏，几星唾沫溅到了马林生脸上。她扫了眼耷头坐在一边的马锐，“就是有那么几个害群之马。”

刘桂珍抱起讲义紫涨着脸冲出教室，腮帮子上的肉因为愤怒哆嗦着如同受到一阵阵电击。

当然，这场课堂骚乱的结果，就是威严的、人见人怕的教导主任亲自出马，把马锐和那个帮了一句腔对骚乱的扩大起了推波助澜作用的男生带离了现场，恢复了教室秩序。

更严重的事情在后面。

本来这件事并没有引起全体老师的义愤。在这个普通的不在重点之列的胡同学校内，这类课堂纠纷是天天都有，司空见惯的。这还不是最恶劣的，上星期另一个班的男生还曾经在老师转过身在黑板上写字时从后面用弹弓向老师射击。马锐和另一个男生被揪到老师办公室的最初，其他老师并没有介入，争论基本上局限于刘桂珍与马锐之间。连教导主任那时也不过是扮演一个略带倾向性的仲裁人的角色，主要是听取双方陈述。后来，争执愈来愈激烈，双方各不相让。马锐坚持老师那个字确实念错了，他提出纠正无可厚非，只因老师坚不认错并旁敲侧击以撵出教室相威胁才造成后来的大乱。而刘桂珍则一口咬定马锐从一开始就是别有用心，有意制造事端，并在老师的再三忍让下步步进逼、得寸进尺，公然当着全班同学对老师采取极不恭敬的态度，几次打断老师的讲课，以致酿成后来不可收拾的局面。大概双方的言词彼时已激烈到一定程度，刘桂珍似觉有辅以手势的必要，于是发生了一些推搡。肯定是很轻的，与施暴毫不沾边至多只说明对方欲辩无言的焦躁和恼火。但这时，马锐说了一句至淫至秽的话：

“你怎么跟泼妇似的？”

“泼妇？你知道什么是泼妇吗？”教导主任正儿八经地问听着无动于衷的马林生。

“大概是指很厉害的女人。”

“不对，很多人都不了解这个词的完整含义。”教导主任颇有几分炫耀地说，“泼妇除了形容这个女人很厉害很不讲理同时还含有这个女人作风很不正派在外面乱搞的意思。”

显然，这一不负责任的诋毁和指控不仅使一向清白的刘老师一怒冲天，同时也激怒了所有在场的和刘桂珍同样年龄同样身份的妇女们。这无异于是对女教师这种特别需要尊重特别需要与高尚联系在一起的女性的集体侮辱。

后来发生了什么，没人再对马林生述说。明摆着，妇女们制服了这个喜欢逞能的男孩儿。作为政策的一种体现，她们从轻发落、放走了那个态度好的男孩儿，而把这个过分猖狂的从严对象一直扣着等到他父亲到来再会商惩罚措施。

“你，你怎么能干出这种事？”马林生蓦地发现老师们已停止了控诉，一个个直勾勾地盯着他，等待他的反应。他不失时机地叫起来，脸上带着像他这种角色此时应有的义愤。

“立刻向刘老师道歉，诚恳地道歉，请求原谅！”他指着马锐喝令道。

“我已经道过歉了。”马锐仰脸看着墙，低声说。

“其实，我倒不需要他给我道歉。作为老师，受点气受点委屈没什么，惯了，谁让我是老师的。”

刘桂珍说到这里眼圈红了，紧绷着嘴，片刻后看着马锐说：

“老师是替你担心，你要培养自己什么品质？长大要当个什么样的人？你才这么小，可你瞧瞧你身上学了多少毛病：骄傲自大，张口骂人，不尊重老师。不尊重老师你还会尊重什么人？欺负比你弱的男同学和女同学，在班里拉帮结派、煽风点火，挑动同学间的对立同学和老师的对立，发牢骚说怪话你你你还像个学生吗……”

“我没有！”马锐竭力忍着泪，分辩道。

“还没有！还嘴硬！”刘桂珍抻着脖子逼视马锐，“事实俱在，哪天在哪儿和谁一条条都给你记着呢——该让你爸爸知道了！”

马林生此时只有低声下气的份儿，他连连向刘桂珍道着歉，对所有老师赔着笑，唯独怒视马锐以示他无论感情和理智上都是站在校方一边同仇敌忾。

“对不起，对不起刘老师，回去我一定好好教育他。”

“你孩子的这个问题是非常严重的。”教导主任以代表校方的权威口吻对马林生说，“我们学校还从来没发生过这类问题，我们学校的校风校纪一向是很好的……”

你算了吧！马林生心想，贵校发生的聚众斗殴还少吗？上个月几个学生和外校学生打架还动了刀子，不是把派出所的人都招来了吗？

“……所以我们对这件事不会轻易放过。已经告诉马锐同学了，让他回去写检查，检查交到教导处。在检查没有通过之前，先不能来上课。”

“我回家一定督促他把检查写好，写深刻。”马林生再三表示，状极沉痛。

“除了写检查，学校还要考虑给马锐同学处分。处分轻重要看马锐同学检讨的深刻程度，对错误的认识程度，但处分是一定要给的，这点请家长要有个精神准备。”

“如果认识得好检讨得深刻，处分能不能不给？咱们得为孩子的前途着想。”马林生恳切地说。

“不给处分是不可能的。”教导主任摇摇头，“这事在全校的影响太坏，老师们听说都气炸了，说这样的学生不给处分她们就不干了。寒心哪……”

教导主任抬起头镜片闪闪地看了眼马林生，“这也是为他前途着想，对他负责，让他牢记这次错误的教训。受个处分不要紧嘛，好好表现将来还是可以撤销的嘛。好啦，现在你可以把孩子领回去了，记着明天把检查交来。”

教导主任挥挥手就像交通警终于开恩示意违章的骑车人可以走了。

马林生在带马锐离开老师办公室时对那位刘桂珍老师有了一个粗浅的印象：她像一个家庭妇女一样既容易被激怒又容易得到满足。

“还没吃午饭吧？先去吃饭。”

在跟着爸爸回家的路上，马锐始终保持着一份与其年龄不大相称的坚忍和麻木，但马林生这一句话便使他的眼泪哗哗流了下来。

他们走进了一家小饭铺，马林生给儿子要了半斤机制饺子。在吃饺子的全过程中，马锐一直低着头不停地啜泣，捏筷子的手因为浑身颤抖几乎夹不住滑溜溜的饺子，他完全没有了早先的骄矜，十足成了一个心头笼罩着伤心、委屈和恐惧的孩子。

孩子无声饮泣的姿态所流露出的强烈痛苦，使同时在饭铺里进食的顾客以及饭铺的伙计纷纷投来关注和怜悯的目光。

如果这是另一个人，随便什么人，哪怕就是个不相干的醉汉，马林生也会油然产生同情，起码会软下来。但这是他的儿子，一个闯了祸给他惹了麻烦而他必须对这后果承担责任的小鬼。他能怎么样？任何温情的表示都会使这个孩子受到错误的鼓励，更深、更固执地坚持和陷入与老师的对立。他会把这顿饭当成一种慰问，一种赞许，他会为得到理解而感动。不能给他任何重新获得立足之地的希望，必须使他认识到在这场力量悬殊的对峙中他只有屈服，按照对方的要求悔过这一条路可走，否则结果更坏，更无法承受。这不是个谁是谁非的问题。

马林生严厉地盯着儿子，毫不为其所动，“快点吃！别哭哭啼啼的，你还觉得你干了什么光荣的事！”

父子俩回到家后的正式谈话，基本是在一种审讯与呵斥充满无情压迫的气氛下进行的。父亲几乎没给儿子任何申辩和陈述事实的机会，调子是一开始定下的。

“你说，你错了没有？”

“……我错了……可老师也有错。”

“先不要管别人，先说你自己，你错在哪儿了？为什么错？”

“我不该骂老师泼妇。我当时也是气极了，她用劲推我，我也不知道那泼妇两字还有别的意思……”

“你还气极了？你把老师气成那样儿你还急了？你的错是光骂老师吗？在这之前呢？”

“在这之前我没错。我根本就不是故意气她，她的确把那个字念错了，我纠正她有什么不对？”

“你纠正她？你凭什么纠正她？老师念错了自己会改，用得着你去纠正她？”

“可她当时自己根本没意识到……”

“当时没意识到以后就不会意识到了？问题不在谁念错了一个字，谁都会出错，让你念一篇课文你没准比老师错得还多。”

“我错了别人给我纠正我可以改呀，不像……我不会生气呀。”

“别人给你纠正老师给你纠正是像你给老师纠正那样吗？是同一种方式吗？纠正别人的错误这本身没错，问题是你采取什么方式去纠正。是与人为善真心希望别人改正还是带有嘲笑、奚落、希望别人出洋相或显示自己比别人高明？”

“我是与人为善真心希望老师改正。”

“你是这么认为可老师并不是这么认为。你在课堂上连续大声打断老师的讲课给她提错，这一举动本身就说明你有意当着全班同学出老师的丑。”

“可是平时我错了，老师也是在课堂上当着全班同学的面大声给我纠正，为什么我就不能同样给她纠正？”

“她是老师，你是学生，这点区别你都不清楚，我看你这么些年学也白上了。”

“老师怎么啦？学生怎么啦？都是一样的人，谁有错误……”

“你不要说了！”马林生厉声打断儿子的话，“看来你还没学会怎么尊重老师。”

“我就知道怎么尊重真理……”

“胡说！狂妄！”儿子脱口冒出的这句大人话，令马林生又惊又怕，脸也顿时变了色。

他忽然觉得全身无力，各种铿锵、言简意赅的精确措辞犹如断了线的风筝从他嘴边一下飞走了，无影无踪了，他的大脑像沙地一样水分瞬间都漏光了，一片干涸。他费力地咽了口唾沫，像念老式电报机传送的电文纸带，一个字一个字慢腾腾地说：

“像你这样，对自己的错误，毫无认识，还强词夺理，你怎么能把检查……写深刻？”

“我也不能胡写，得实事求是。”

马林生疲惫地一笑，用可怜的眼光看了眼天真的儿子，“你是不想上学了？”

“本来嘛，班里的同学都可以给我作证……”

“算了算了，你先到一边去吧。”马林生不耐烦地打发开执迷不悟的儿子。

| 第四章 |

马林生决定亲自起草这篇检查的底稿。这是篇为满足成年人受伤害的自尊心所作的文章，必须谨慎周到、细致入微，才能经得住那些憋足了劲儿想要给你难堪的成年人们的百般挑剔，使他们转怒为喜。一个马锐那样年龄的孩子即便一百个诚恳也无从表达，他所掌握的语汇尚不足以详陈如此复杂、微妙的情感。只有一个老练程度大于或起码等于对手的成年人，才能把话说到点子上，才懂得怎么使一个怀有敌意的人心花怒放——有些话只有厚脸皮的成年人才想得出说得出而且说得像发自肺腑一样。

马林生堪称这方面的专家。他的这门本领怎么学会的，他的同学、夏青的爸爸夏经平一清二楚。所以，当他进门看见马林生苦思冥想地坐在桌前，脸部随着笔的运行变化丰富，时而愁苦时而沉痛，不禁笑了，这情景当他和马林生都是小学生时他很熟悉。他一直认为，正是这种大量的检查作业激发了马林生对写作的最初兴趣，并锤炼了他的写作基本技能，同时他创作的检查产生的效果以及给他带来的名声使他过高估计了自己驾驭他人情感的能力，由此耽误半生。

“怎么，替儿子写检查呢？”他问，大咧咧地在一旁坐下。

“你知道了？听夏青说的？”马林生一脸苦笑，“没办法，你没听说要给马锐处分呢。”

“重操旧业有何感受？”

“什么都没变，老师还是从前的老师，连错字都跟从前错的同一个字。你还记得咱们上学时那个王老师吗？她也总是把‘恬不知耻’念成‘刮不知耻’。”

“这么些年，这帮老师怎么一点长进没有？”

“学生呢，也是一点没学聪明。没办法，学校嘛，就是这样儿，好容易学聪明了，毕业走了，又进来一帮傻乎乎自以为是的。”

“学校嘛，不就是培养人的地方？这检查你真该让马锐自己写，什么都替他包办不好……”

“他写不好，这得联系多少事情……”

“写不好一点点学嘛，多摔打几次不就百炼成钢了？不给他实践机会他就永远进步不了。谁又是生下来就会写检查的？当年咱们还不是一次又一次地写，通不过就重写，咱们父母又没文化，指不上，还不就靠自己一点点摸索，逐步提的高？从不会到熟能生巧得有个过程。你这可是太惯孩子了，要不怎么说现在这孩子幸福呢，‘抱大的一代’，连检查都不会写长大怎么走向社会呀？怎么干得了大事业？”

“你说的倒也是。现在这些孩子的状况真令人担忧，对社会起码的认识都没有，吃不得瘪子受不得委屈，得理不让人，这么下去将来吃亏的只能是自己。”

“多跟他们讲点道理。别老觉得孩子小，真把这些个人生道理讲透了，他们还是听得进去的。关键看你怎么讲，事实最有说服力。”

“啊，这方面的例子我是不胜枚举。”

“可不是，咱们都是过来人嘛。”

这时，马锐低着头走进来，简单和夏经平打了个招呼，走进里屋。他一脸懊丧，眼睛红肿，显然还未从打击中恢复过来。

当着孩子，两个大人都闭了嘴，待马锐走后，两个人又低声说起来。

夏经平笑着说：“吓得够呛吧？”

“可不，我和老师都狠狠吓唬了他一通，几天缓不过劲儿来。”

“小孩子没经过事。我倒真有心想去告诉他，甭害怕，没什么了不起，什么‘处分’哪‘装档案’啦都是吓唬你，小孩哪来的什么档案？真正的档案袋里中学毕业前一个字也没有。”

“你可别这么对他说，把底告诉他。”马林生笑说，“那他更有恃无恐了。顶撞个老师倒没什么，别养成毛病。”

马林生重又歪头去看自己拟的检查草稿，问老夏：“你说这么写：‘辜负了老师的亲切教诲和殷切期望以及一片苦心孤诣’。不肉麻吧？”

“不肉麻不肉麻，恰到好处。”

“这‘苦心孤诣’是不是有点太文绉绉了？会不会让人看出不像是小孩说的话？”

“没关系，没人挑恭维话的茬儿，舒坦就行。若有所动鼻子一酸心头一热也没准——看见这四个字——真觉着自个不容易了。”

夏经平看着老同学笑：“你真是个小熨斗，什么样的褶子经你一熨都平平展展的。我真想当一回你们领导，见天让你给我写检查。哎，用不用滴两滴口水在纸上？”

“这么严肃的事，你别这么嘻嘻哈哈地开玩笑。”

“你别装蒜了。”夏经平笑着在马林生背上猛拍一掌。

马锐在看爸爸给他写的长篇检讨时没看几行就哭了，眼泪顺着脸颊扑簌簌流下来。

“你把我写成什么了？”他泪眼婆娑地望着爸爸，“我是那样吗？”

“少废话！替你写了，你还哪那么多穷讲究？”马林生十分不快，更多的是出于自己的劳动成果没受到应有的尊重和赞赏，“检查就得这么写，这么写才深刻。”

“你这算什么深刻？就差说我不是人了？”

“收起你的自尊心吧，你现在还顾得上它？”马林生讥讽地望着儿子，“你现在就不能把自己当人。按我写的把检查抄好，明天交到学校去。”

“这检查我不想交。”马锐盯着爸爸，“我不想用糟蹋自己换取别人原谅！”

“你现在就坐到桌子跟前去，把检查抄工整，抄好。”马林生伸出手，指着儿子说。

父子俩互相凝视着，马锐毫不胆怯地迎视着父亲的视线，他把那叠写着检查的稿纸往旁边随手一扔，稿纸散乱，纷纷飘落到地上。

“捡起来。”马林生迈前一步，冷冷地说。

马锐扭过脸，不予理睬。

“你捡不捡？”马林生又迈前一步，眼神、语气中充满不祥的威胁。

“不捡。”

话音未落，马锐后脖梗子就挨了爸爸猛的一掌，他的头一下歪到一边。

“你捡不捡？”马林生问一句，打一下；打一下，问一句。他的火气是逐步上升的，开始还较为克制，没有十分用力。但他看到马锐就是不肯服软，始终挺身站在那儿，不管他怎么打不动也不吭声，甚至连哭都不哭，凝视着他的眼睛里流露出毫不掩饰的轻蔑，便被一点点彻底激怒了。

他的手一下比一下重，后来脚也上了，连踢带打。狂怒地连声吼叫：

“你捡不捡？不捡我就打死你！看是你犟还是我犟！”

他几乎是失去理智地疯狂殴打了，拳头、皮鞋雨点般地落到马锐一无遮挡的身上。马锐保持不住重心，踉跄着，几次重重地摔倒在地。剧烈的疼痛使他再也忍受不住，泪水涌出眼眶，他终于屈服了，含悲饮泣蹲在地上把散落的稿纸一张张捡起来。

“马上抄，不抄完不许吃饭！”马林生大声吼着，气咻咻地离开里屋，用力把门带上。

他喝了一大杯凉水以平息自己狂乱的情绪。他的胸脯剧烈起伏着，脸由于愤怒和用力涨得紫青，他的手掌骨有些隐隐作痛，脚趾也有一点扭了的感觉。他对儿子的公然挑衅和不服从感到无法抑制的憎恨，这憎恨的情绪是那么强烈以至他双眼都激动地潮润了。如此不知好歹的王八蛋、兔崽子，真应该让他一个人去倒霉！

当他多少平静下来一些后，他又感到了一种隐隐的羞愧和更大的沮丧。他本意是想用不同于学校的那些老师们的更通情达理的方式来处理这一事件的。在学校目睹了老师们的表现后，他本能地决定回避采用相同的迫人就范的方法，就像人们自觉地和某些不名誉不道德的行为保持距离一样。但他还是这么做了，有过之而无不及。

如果他面对的不是他儿子呢？

黄昏时分，马锐的一些同学来看望他，被马林生轰走了，拦着门没让进。后来，夏青放学回来也到他家来了，看样子也是来慰问和寄予同情的。

马林生在外屋把夏青叫住，问她："马锐在学校到底表现怎么样？你们是同学，你应该把实话告诉马叔叔。"

夏青犹豫着、嗫嚅着，迟迟不开口。

"没关系，你就实说。"马林生推心置腹地说，"我只是想了解一下，是不是像老师说的那么差。"

"怎么会呢？"夏青说，也竭力想使自己的话不偏不倚，"男生当然要比女生，嗯，闹点，但马锐在我们班男生里根本算不上闹的……有些老师不喜欢他倒是真的。"

"他是不是老爱给老师挑刺儿？"

"嗯，差不多，有时候他让老师下不来台的……但今天的事不怪他。"夏青热情地为朋友辩护，"今天的事责任全在刘老师。她一贯这样儿，水平低又最爱面子，哪个同学给她提意见她恨哪个同学，我们全班都特烦她，最不爱上她的课，哪次上课都得吵起来……"

"哐——"里屋门一下拉开，马锐红肿着眼满脸是泪地冲出来，直着脖子冲夏青嚷：

"去！去！谁用你在这儿多嘴！长舌妇！碎嘴婆！滚一边去！"

"马锐！"马林生厉声呵斥。

夏青委屈地说："我没说什么，我是来看你的……"

"是我叫住她问她一些情况的，你要干什么？"马林生拍桌子。

马锐根本不理他爸爸，只是冲夏青嚷："谁用你来看我？没事回家待着去，少乱串门！"

夏青看见马锐脸上的伤痕，不由大叫："你爸打你了？"她愤怒地转而怒视马林生，“你怎么不分青红皂白乱打人？”

马锐愈发急了，上前连推带搡往外撵夏青，“你走不走？怎么这么讨厌？还赖在这儿了？”

夏青被马锐推出门，站在门外还冲马林生嚷：“打人犯法你知道不知道？”她嚷着，眼中也冒出了泪花。

马锐劈面把门关上，夏青才一跺脚，含着泪顺着窗前的廊子走了。

马锐不看他爸爸一眼，扬着脸走回屋里，把门也一把撞上了。

马林生站在两扇门紧紧关着的房间里，心中一阵阵羞惭和恼火。儿子的举动很明显，他连对自己有利的话也不愿意让他知道，他根本不想在他这儿讨个公正。

吃晚饭时，他去叫儿子吃饭。儿子冷冷地回答他：“不吃，我还没抄完呢。”

“必须吃！”他敲着菜盘说，“吃完再写。”

儿子服从了。

这服从令他心颤。

儿子抄检查一直抄到深夜，他也一直陪着儿子坐到深夜。有几次他想找个话头儿跟儿子说几句闲话以示和解，自己的气消了，但儿子那冷若冰霜拒人千里之外的神情令他欲言又止。

夜里，他时而听到从儿子的床那边传来伴随着每次翻身响起的低声呻吟。他想起在遥远的过去当他还是个小孩时，他含泪忍痛躺在被窝里悄悄发过的一个誓：如果将来我有了孩子，我永远不打他！

在成年过程中，他改变了不少初衷也忘记许多心愿。

他打开台灯下了床，走到儿子床前，掀开他蒙住头的毛巾被。儿子紧闭着眼一动不动忍受着台灯射来的光芒，他的脸由于泪水的浸润刺激显得潮红光滑，有些浮肿。

他松开手，柔软的毛巾被轻轻坠下，遮住儿子的脸。

第二天，父子之间没再发生任何龃龉。马锐似乎经过一夜睡眠耗尽了所有力量，像个断了伞骨的尼龙伞又瘪又蔫。他按照父亲的吩咐洗脸、刷牙、吃饭，然后背着书包去学校交检查了，没有一丝抗拒、不满和有意拖延，像机器人一样服从指令。

这件事的余波延续了几天。如马林生所预料的那样，校方抓住这件事在全校学生中大肆宣讲，以儆效尤，开展了一场以“整顿课堂纪律，尊师重道”为内容的运动。马锐作为反面典型在全校范围点了名，并在班级和年级两级大会上作了检查，受到了一些同学有组织的批判与声讨。也正如马林生所预料的，他撰写的那篇文字花哨狗血喷头式的检查使所有人听了为之不忍为之垂悯为之汗毛倒竖。一个人置自己于如此不堪之地，任何善良的、自己同样面临诸多困境的人焉能不作兔死狐悲物伤其类之想？同时，我们同胞一个著称于世的可爱天性不就是当把对手逼得走投无路时网开一面？任何人，当确保自己优势地位不受威胁时，都愿意稍示怀柔以表明自己的宽大和有理有节在胜利的喜悦上加上一种欣赏对方感激涕零的享受。

马林生专门请假到学校和刘老师以及教导主任校长什么的作过几次长时间的恳谈与聆听。被检查深深打动的刘老师差不多把马林生当做唯一了解她的知心人那样倾诉衷肠了。她诉说着现如今作为一个低级教师的苦恼与不幸，待遇啦、房子啦、全社会的尊重啦，说着说着便抹起了泪，伤心得无以复加，似乎她不是当了老师倒像是上了贼船。倏忽间，又变得像那种最有爱心的少管所干部，置自己于九霄云外，一门心思地关心那些失了足的下一代，为他们的丁点儿进步欣喜，对改造他们成为社会的栋梁之材充满希望。语重心长，苦口婆心，像在伸手不见五指的山洞里摸了一夜突然看见光明那样容光焕发，疲劳、绝望一扫而光。

教导主任校长这些更注重全盘考虑的领导同志更是相当满意这一事件的发展和目前的这种结局及其效果。他们甚至有些庆幸马林生的儿子给他们提供了这么一个大显身手的机会和借口。不过表面是一点看不出来，他们脸上有的只是一如既往的庄严和万事操劳的忧郁以及沉思。

马锐的检查很顺利地通过了，没有人狠得下心来有毅力再听一遍比这更不堪入耳更冗长的检讨。连本来认为是不可避免的处分最终也没落下来。在运动后期，学校居然在高年级学生中挖出了几个流氓团伙，人们差不多把马锐忘了。

他又回到学校去上课。

他也像其他孩子一样，事过不久就基本上把这件事造成的心理负担卸掉、丢开了。生活中新的、有趣的或令人反感的东西吸引了他的注意力。但这件事在他身上遗留的影响还是很明显的，这特别表现在他和父亲的关系上。他一见马林生就显得瑟缩、沉默，即便是一句很平常的问话，他的回答也带有怯意，而他几乎不主动和马林生说什么。父子俩在日常生活中相处时的那种异乎寻常的冷漠，使得他们的家庭蒙上一层阴郁的气氛，同时又使他们两人都感到一种莫可名状的紧张。每当他们四目交视，马林生就感到自己如同一个悲剧性事件的纪念碑，人们的目光一接触到它脸上便流露出凄恻的回忆和警觉、沉思的神情。

马林生原期待马锐看到事情按照他那种干脆利落的处理方式得到圆满解决，会多少淡化些对父亲推行决定时使用的粗暴手段的反感，认识到父亲的英明、正确和事出无奈，但他的期待落空了。

马锐虽未着意表现出什么耿耿于怀，但很显然他也没有尽然释怀。

他不想看到儿子总是一副受了伤的样子，更不希望儿子的性格由此改变。这种变化往往更难以捉摸。

他想使家庭的气氛重新轻松起来，像个正常的家庭像什么也没发生过一样。实际上，从那个恐怖之夜后，他就没再对马锐提这件事一个字，既没解释也没道歉但也没有利用对他有利的事实。

他有意在饭前便后和儿子闲扯几句，说些街上流传的逸闻趣事，装傻充愣地问些他早已知道答案的愚蠢问题。但儿子的反应并不积极，并未体察或者有意忽视他的良苦用心，有一搭没一搭偶尔一笑也是稍纵即逝甚至时而显得像身处考场般的紧张。有次他为了特别突出对儿子的无芥无蒂，还亲昵地跟儿子开了句玩笑，“你是不是感到正经历那种真正的、无法溢于言表的深沉痛苦？”他笑嘻嘻的，调侃味儿十足，但儿子听到这话的反应是吃惊、瞠目结舌，继而是羞愤和厌恶。他立刻意识到自己的失策和唐突。他不自觉地引用了儿子和别人一次虽然算不上是机密但也是属于不希望第三者听到的谈话的内容。这就像一个人突然发现自己的日记被人偷看了，那点隐私已经成了别人的笑柄，尽管是善意的打趣，也完全不能接受。

马林生感到气愤，有一种受逼不过的感觉，另外他也由衷地对自己向儿子频送秋波讨好巴结的行为感到厌恶。

他决定跟儿子好好谈谈，有些糊涂认识必须澄清，无原则的抹稀泥看来想抹也糊不上墙。

他没做什么准备，开口就能讲，道理都是现成的，活学活用了半辈子，烂熟于胸。

“你是不是对我有意见？”

“没有。”儿子手托腮坐在一旁，像是被拖到某个会上与己无关又不得不听。

“我看有。”马林生脚蹬着桌底架，吸吸溜溜掀盖喝着热茶，把吸进嘴里的茶叶呸呸啐回杯里，摇着扇子乜眼说，“你这个情绪不对头嘛，多少天了，哭丧着脸儿，我看你是对我那天打了你怀恨在心。”

“没有。”

“我能不打你吗？要不是你那天把我气坏了，我什么时候无缘无故地打过你？从小到大你说说，哪次不是先跟你充分摆事实讲道理讲清楚了再打？哪次不都是因为你不听话犯了错误就是不肯承认哪次不都是为你好？真是我出了错我捅了娄子我打过你吗？”

“……”

“为什么不说话呀？有理讲啊！你不是老觉得有理没处讲，现在给你讲理的机会，你怎么又说不出来了？”

“哪次都是我错，都是我不好，你每次都是忍无可忍。”

“就说这次，要是你一开始就按我说的去做，不跟我拧着，谈话就能解决的我何必要动手？当然，我打得手是重了点，不应该。可你要想想当时你把我气成什么样儿？我辛辛苦苦替你写的检查，你就能那么往地上一扔，不屑一顾，有儿子对父亲这样的吗？好啦，这件事就不说了，不管你是不是恨我……”

“我不恨你，恨你干吗……”

“恨也好，不恨也好，反正我是打你了，这是个事实，无法改变，而且今后我仍然可能打你。但我希望尽量避免出现此类情况，这要看你……懂我意思吗？”

“懂，听话就不打，不听话就打。”

“好，这件事就不说了，到此为止……”

马锐起身就走，像听到宣布散会似的。

“回来！我话还没说完呢。”马林生喝住马锐。

马锐重新退回原处坐下。

“我知道你心里怎么想的。”马林生放下茶杯，拿起一支烟在指甲盖上颠着，叼在嘴上，点燃，看着马锐说，“你心里还是有怨气。你还是认为你没有错，起码没全错。你给老师指出一个字念错了这件事上就不该受到批评，你的读音是正确的嘛，字典能够无可辩驳地证明这一点……我说的对不对呀？”

马林生看儿子的反应，马锐毫无表示。

“老实说，在这点上我同意你的观点……”马林生再次停下来，注视马锐的反应，儿子仍毫无表示。

“你是对的，老师是错的。”他强调，“对的就是对的，错的就是错的，这没什么好说的。”

马锐仍毫无反应。

“你以为我在你这么大上学时什么样儿？也像你一样，喜欢给老师挑个错跟老师作个对。”马林生这时变得推心置腹了，“我们那时比你们厉害多了，斗老师批老师那是经常的，校长教导主任都揪到台上去了。哪个老师稍微说错句话做错件事，大字报立刻贴到他办公室去。上什么课呀，上课就是玩、闹、考试也不考，考也是互相抄，那开心……当然那是动乱年代，这么做是不对的，学生的主要任务还是学习。你们现在不能像我们那时那样，你们要尊敬老师，遵守纪律，爱护同学，爱护公物……好好，套话就不说了。你要知道你错在那儿，而你现在根本不知道自己错在什么地方，所以你也没法改正。检查是胡写了一大堆，但那都是空话、官词儿、压根没说到点子上……”

烟头上长长的烟灰掉了下来，洒了马林生一腿，他连忙扑落。

“我记得上次我们谈话，你说过一句：你就知道怎么尊重真理。你还记得吗？”

“不记得了。”

“我记得，记得非常清楚。”马林生坐正，把剩下的烟蒂掐灭，他的脸由于低头去掸烟灰有些涨红。他注视着马锐，“大概你从哪本书上还接受过这么一句话：‘真理面前人人平等。’”

“听说过。”

“我想你就是让这句话害了。”

“谁也没有害我，我自己错了就我自己错了。”

“不……”马林生屈膝把脚抬到椅子上，一只手去撕脚丫上蜕剥的老皮，用力撕下一块，看了一眼，扔到地上，飞快地说：

“你光看到天就是天，地就是地，可你却没看到人的差异，两双眼睛的不同。其他人不说，我和你眼中的天地是同一个天地吗？我承认，应该有基本的道德准则和通用的是非观念，但对大人和孩子能同样要求吗？我抽烟是嗜好，你抽烟就是学坏——对啦，上回你抽烟我可还没说你呢。我骂你打你那叫慈爱，恨铁不成钢，你骂我还手——反了你啦！同理，你可以爬墙上树，最多说你淘气，我要猴似的爬谁家墙头，说老不正经是轻的还不得抓我要流氓偷东西？这就像男女平等一样，只有承认差异才能真正做到平等。你现在多少明白点了吗？”

马锐眨眨眼，看不出是真听进去了还是仅仅敷衍，他朝父亲点点头。

马林生十分高兴，他坐回座位，喝了口已经凉了的茶润润嗓子，换了副亲热的口吻对儿子说：

“你想你能用对付小朋友的办法对待老师吗？老师是什么？不是不能出错的计算机。她是人，还是个大人。大人和小孩最重要的区别在哪儿？就是小孩可以没脸大人是一定要有面子！小孩嘛无所谓，不管大人怎么呲嗒，二皮脸一挂嘻嘻一笑就过去了。大人呢，你让他去哪儿？如果不想被说成厚颜无耻就只有无地自容了。什么叫狗急跳墙？你怎么就不能她错就让她错下去？出丑是她出丑，丢份是她丢份，与你何干？尤其是你又知道什么是对，没叫她引入歧途，你替她着什么急？全班四十多个同学未见得都让她蒙在鼓里唯独你跳了出来捅破了这层窗户纸。你傻就傻在不懂得这条做人的基本规则：当权威仍然是权威时，不管他的错误多么确凿，你尽可以腹诽但一定不要千万不可当面指出。权威出错犹如重载列车脱轨，除了眼睁睁看着它一头栽下悬崖，没有任何办法可以挽回，所有努力都将是螳臂当车结果只能是自取灭亡。”

马林生怜爱地望着儿子，语气沉重地说：

“爸爸的其他话你可以当耳旁风，但这点请你一定牢记。如果通过这件事，你能记住这个教训，那对你的成长倒是个帮助，否则你才是白吃了这顿苦头！”

“……”

“你怎么不说话？”马林生皱皱眉头，“无动于衷？”

马锐为难地在椅子上扭扭身子，“您说得那么好，我都听呆了。”

“什么意思？”

“真的是觉得您说得好……”

“往下说。”

“过去怎么就没人给我讲过这些个道理，都是教我要立场坚定，爱憎分明，勇于当那个什么小主人……难怪我这回栽这么大跟头一点不奇怪……”

“……”

“幸亏我有个您这样的真关心我爱护我的好爸爸，除了您谁还会跟我说这些话呢？”马锐先还低着头看地上，有点扭扭捏捏，后来就流利了，也敢看着他爸说了，“您这番话真叫我茅草顿开，如沐春心……”

“茅塞顿开，如沐春风！”

“茅塞顿开，如沐春风。要是您今天不跟我说这番话，不告诉我，任其下去，我将来——不堪设想！”

还有什么比沉默更可怕的？那就是胁肩谄笑虚言奉承！

“把你的真实想法告诉我。”马林生请求。

“我真的就是这样想的，没有其他的想法。”马锐同样衷心地说。

| 第五章 |

“你怎么这么奴颜婢膝，低三下四的！”马林生厉声呵斥儿子，“有什么话好好说，不要哼哼唧唧的，像条狗似的摇尾乞怜。你是叫我打怕了还是装孙子？”

马锐是来请求父亲批准出去玩一会儿的。但他没有直截了当地提出请求，而是在饭后主动积极地去刷碗、扫地、擦桌子，把一切归置完了，像个有事要求主人的丫环把一杯新沏的茶和一把扇递到正腆着肚子剔牙的马林生手里，自己站在一边不住地拿眼去找爸爸的视线，磨磨蹭蹭地不肯走开，没话找话地问：“还有什么要我干的吗？”“您想不想擦一把？我帮您打水去。”

从那次父子俩交过心之后，他就一直是这副样子，殷勤、恭顺、事无巨细一概请示唯马林生的马首是瞻。尤其是他那双眼睛，说是狗一样忠诚一点不夸张。处处察言观色，镜子般地只反映爸爸的喜怒哀乐，爸爸笑，他就显得快活；爸爸愁，他就显得忧悒；就连看电视，父子俩的感情起伏跌宕也是同步的。

马林生对此腻歪透了。他还没有自大到想在家里建立个一主一仆的小朝廷，称孤道寡，四处横行。可儿子怎么就先主动当上了小太监？马林生是个苦出身，一辈子没有作威作福过，同时他又觉得起码是拿中级知识分子的标准要求自己。知识分子嘛，知书达理，到哪儿都得是文明、进步、现代的代表，跟谁打交道都得是不卑不亢不冷不热，既令人刮目相看又不使人感到气焰逼人。这样才舒服，大家才亲切。弯腰弓背、诚惶诚恐，这样的嘴脸知识分子不但做不来（或者说刀不架在脖子上做不来），也受不了别人这样做，这样下作——哪怕是冲着自己来。

叫人恶心！

“你就不能把腰板挺起来？”马林生痛斥着马锐，“大声说：‘我要出去玩！’我还能吃了你？正当的要求为什么就不能用堂堂正正的方式来表达？你瞧你，你哪还像个男子汉……”

马林生最后这句话本来是不想说的，脱口而出险些没咬着自己舌头，这话太伤人了。

马锐倒似乎没太介意爸爸的措辞，他像个棉花床垫似的，对任何挤压都不产生弹力，使用力量愈大反倒瘪了下去。他垂眉低眼站在爸爸面前，加倍作出一副可怜巴巴的样儿。他当然不必计较什么男子汉不男子汉的，他的年龄只能说是个男孩儿。

马林生自己就像个所谓的男子——汉吗？他想想也觉得没什么参照，一个过于高大近乎虚幻的形象赫然出现令标榜他的人也同时感到气馁。

“去玩吧。”马林生怏怏地说。

那日傍晚，马锐在胡同里被几个年轻人打了。一个男孩子飞跑来告诉马林生，马林生刚冲出院门，就看到马锐跟几个一起玩的同伴一手捂着滴着血的头向这边走来。

听那几个孩子七嘴八舌的诉说，马林生知道了事情的大致经过。

确实不是马锐惹的事，准确地说，马锐无辜地被人欺负了。

这条胡同口有几张台球桌，天天都有一些小伙子和半大孩子围着打台球。马锐和他的几个小伙伴也去凑热闹，站在一边看。有几个正在轮流玩台球的年轻人不知是因为输了还是看马锐他们几个不顺眼或者就是想抖抖威风找点乐子，反正是有意寻衅吧，叫马锐他们“滚开”。这几个家伙都比马锐他们大，一个个身强力壮的，马锐等辈也惹不起，便乖乖走开了。肯定有些不情愿，但谁也没敢说什么。可就在他们走开的同时，有个家伙蓦地勃然大怒，说马锐“看”他了，于是破口大骂，追上来就打，用台球棍比较粗比较坚硬的一头在马锐头上狠狠砸了几下像用锤子砸钉子，打破了马锐的头。

马锐的小伙伴们都忿忿地说：“有这么不讲理的吗？看都不能看了！”

马林生完全想象得出，马锐的那一眼是怎么看的，他的那双眼睛有时比说出话来还气人。但不管怎么说，这也不能成为暴打人家一顿的理由。

血顺着马锐的脖子流了下来，染了他的背心，一些血迹已经干了变成了深褐色。马锐显得相当坚强，既没掉泪也没因疼痛作苦相，他望着马林生的目光十分严峻又含有某种等待，等待父亲的呵责和埋怨。

这目光刺疼了马林生心里最坚硬的某处。

那些完成了叙述和控诉的孩子都把目光集中在马林生脸上，注视着他的反应。

马林生的样子高深莫测，其实束手无策。那些作了恶的年轻人就在前方视线所及之处，他们仍在继续玩着台球，嘻嘻哈哈笑着，满不在乎地往这边看。马林生根本不想充好汉，带着儿子去惩罚那个欺负、伤害了他的恶棍，哪怕仅仅是理论一番。他熟悉这些强壮时髦，脸上带着粗野、残忍的微笑的年轻人，他就是打他们那个年龄过来的。说得不客气，就是一帮小流氓。正是无法无天什么都不放在眼里什么都不怕的年龄，他就是带着全世界的道义去和他们评说也会碰一鼻子灰。说得不好，别看他的年龄都够做他们年轻一点的爸爸，他们也会不留情地揍他一顿让他管他们叫大爷。派出所倒是个伸张正义的地方，可警察的一顿训斥，除了使他和他们结仇使他们有了一而再再而三找他麻烦的理由又能怎么样呢？这种事连治安处罚的资格都够不上。在法网之下，有一大片弱肉强食的荒野，老实的、不会武艺的人只能忍气吞声。

找他们的家长？更是笑话！

马林生拿起儿子的手，看看他的伤口。血流得不凶，已接近凝结，但伤口边缘不规则，皮肉还有一些破损，很难自己愈合。

“走吧，我带你去医院缝针。”

他掏出自己的干净手绢捂住儿子头上的伤口，这就是他作为一个父亲对受了无辜伤害的儿子所能给予的全部。

这是一个凄惨的姿势。

街道医院的急诊室光线惨白，空气中弥漫着脓血、腐肉和消毒水的混合味道。那个冷漠得像不锈钢餐刀的医生，在另一个气鼓鼓的女护士的帮助下给马锐缝着伤口，他的动作熟练、迅速如同服装厂的女工在给成衣钉扣子。马锐在他有力的穿刺、挑拉下疼得直吸凉气，同时受到医生和护士的共同呵斥：“别动！你老动我怎么给你缝？”

马林生坐在远处的治疗床边，样子比正在遭受痛苦的儿子还可怜。

他在别人身上体验屈辱的同时也看到了自己的可憎。

在回家的黑漆漆的毫无月光的路上，他的心情一直很难过。

马锐头上包着雪白的绷带，由于屁股上打了“破伤风”针，走起路来一拐一拐，在夜色中看上去如同一个小伤兵。他似乎对此事要泰然些，似乎忍受痛苦对他来说已经习惯了。马林生问他伤口是否还疼，他的回答既清脆又满不在乎：“没事。”

这若无其事的口气差点叫马林生掉下泪来。他感到一阵冲动，一把搂过儿子肩膀带着他往前走像个痛下决心申明自己对情侣心意的小伙子。

马锐对此似乎有些吃惊，他好像不太习惯父亲的这种亲热，或者是这种被比自己高一头的人搂着走的姿势确实别扭，他被父亲搂着走了几步后就小心翼翼但十分坚决地挣脱开了。

湿淋淋的红领巾和一条同样湿淋淋的白色小裤衩挂在院里的晒衣绳上，阳光穿透过来使红色更艳白色耀眼布纹经纬都看得清清楚楚。

马林生看着这条红领巾和小裤衩出神，脸上露出一丝意味深长的微笑。

马锐一早就爬了起来，鬼鬼祟祟地拿盆去洗裤衩。昨天下午马林生刚用洗衣机洗过脏衣服，他实在找不到什么可洗的，就把红领巾一起洗了，然后就去上学。隔壁的夏青跑出来喊他等一下，他连头也没回。

很快他就是个大人了，马林生充满温馨地想。他觉得自己的决定是正确的，也是及时的。他对自己明智以及作出抉择的毅然决然很满意，算不算是高瞻远瞩呢？他感到自己充满磅礴的力量。

昨天，他的前妻和前岳母依照法院授予的权利和周期前来探望马锐。他和她们之间发生了很不愉快的争执。两个女人一看到马锐大热天戴了顶帽子就起了疑，揭下来一看，发现了那个伤口。伤口虽然愈合得很好，并已拆线，但伤疤仍很明显，周围剃掉的头发尚未长出来，斑秃一样难看。于是两个女人就大惊小怪地叫起来，把最难看的脸色给他看。马锐自己解释了受伤的原因，但她们恶狠狠地瞪着他，凶猛地指责他，似乎这伤是他和凶手合谋造成的，激烈地批评他事后不采取行动的怯懦，连上医院缝针这样必不可少的处置也受到了她们的攻击。她们似乎认为最稳妥的做法应该是让马锐带着鲜血淋漓的伤口到居委会派出所凶手家展览一圈，在凶手得到严惩、凶手家交出赔偿费和医药费之后再去缝针治疗。

跟前妻马林生一向认为没什么好说的，这点在他们婚后不久他就体会出来了。在某些时刻从某种意义上说她就像马锐评价其老师用的那个词一样，是个泼妇。这大概是女人天性中的一部分，像所有陆生哺乳动物都有牙一样，区别也就是牙长牙短，是满嘴獠牙还是一口白牙。他从不和她争论，尽管他对她已不存在作为一个丈夫必须受点气的义务和职业道德。至于那个前岳母，她倒是一个和气的老太太，可她养了这么个女儿还有什么可说的？女人到老太太这个阶段多数处于昏聩糊涂、是非不分的状态，害人倒害不了，帮腔还是很厉害的。

他忍受了。他突然发现自己还是很能受委屈的，在长期婚姻中锻炼出来的对无理指责的耐受力并未因婚姻的中断而退化，这大概就像游泳和骑自行车一样，学会了就忘不掉。

两个女人发泄了一通怨气和怒火，犹如一部电影总有个完一样，完了。打扮、修饰了一通马锐，把他带走了。

他知道她们会对孩子干什么，无非是花钱，超需要地花钱。她们会用女人式的慷慨来满足马锐每一个哪怕是最过分的要求，用她们那过剩的爱心一路上对马锐甜言蜜语絮叨个没完，最肉麻的话最肉麻的动作都说得出来做得出来。她们会想方设法使马锐觉得她们比他爸爸更爱他更关心他。一天当然比长年累月更富于表现力更方便浓缩情感更易于坚持始终——不露馅。

街上正进行“学雷锋服务日”的活动，宣传车的大喇叭和少先队鼓号队造成的喧嚣隐隐地传进胡同里，使马林生的耳朵有一个街上很热闹的印象。

他靠吃方便面和看书睡觉打发了一天，他不在乎女人们对儿子的笼络。他知道她们会控制不住地热情过分，而男孩子往往对这种来自年长女性的过分热情只会厌烦。

以往前妻接孩子去玩都会在晚饭后送他回来，或让他自己回来。但今天，天都快黑了，人还没有回来。马林生预感到这两个女人要出幺蛾子。

电视里开始播《动物世界》时，他的前岳母一个人回来了，一副坦荡的样子。

“孩子呢？”他问。

“噢，和他妈在一起，一会儿回来。”老太太说着坐下，目不转睛地看电视，似乎她一个人提前回来就是为了赶着看那些斑马豹子鸟啊鼠啊的怎么进食喝水怎么走路交配的。她干吗不回自己家看？

“林生啊，日子过得怎么样啊近来？”老太太有一搭没一搭地问。

“还行。”马林生回答，也是不卑不亢。

“我看你这屋乱点。”老太太小眼灼灼有神，找躲在角落的贼似的东张西望地全屋扫了一遍，“灰多少天没擦了？”

“老爷们儿过日子嘛，顾不上那些小事。”马林生嘿嘿笑着，有些难为情。冷不丁想起不是这老太太的女婿了，收起脸上的笑点着一支烟歪躺在椅子里，她管得着吗？

“烟还挺勤？”

“嗯。”马林生哼了一声，露出明显的怠慢。

“林生啊，”老太太叹口气，“我看你这日子过得也挺难。”

马林生没做声，等着她下文。

老太太以为马林生被她打动了，触着了心事，愈发语重心长：

“你一个男人，带着个孩子，工资又不高，是麻烦，焦心的事多。不如把孩子放我那儿，我给你带着。”

老太太索性开门见山了。

马林生一笑，心想：早知道你要说什么。不是头一天动这念头了吧？从打离婚法院根据孩子的愿望把儿子判给马林生起，这老太太就憋着要把孩子要回来，总觉着外孙跟着爸爸要吃苦。这两年，老太太和当年逃台的一个小叔子接上了头，又送了一个儿子去日本打工，手头活络了，家里的吃穿摆用、行为举止也有点侨眷的劲儿了，所以索要这外孙的心情更迫切了，有点像电影上那种嫁了大款过上幸福生活的夫人思念早年因为贫穷送了孤儿院的私生子。其实马林生对儿子跟着谁过并没有什么过于偏执的原则立场。妈妈姥姥也不是外人，小孩嘛还不就跟那庄稼似的哪向阳哪肥沃就种在哪儿——只要有利于生长。在儿子未成年、生活还不能完全自理的情况下，让女人照顾他，的确比跟着父亲过光棍生活要好些。他有时也真觉着他耽误孩子，孩子也耽误他，经济上精力上都感到穷于应付，捉襟见肘。但当初没有果断处置，孩子跟他生活了这么长时间，现在再要回去，这就牵扯到一个荣誉问题了。是不是他没有能力照管好自己的孩子？这就像考察一个干部是否胜任他所担负的领导职务，尽管他已经焦头烂额、百病缠身，但一定要装作精力充沛、应付裕如的样子。否则，尽管他是主动辞职，诚心让贤，不明真相的群众还会以为他是因为无能被赶下台的。

他硬着头皮，咬着牙也要挺住。

“有合适的了吗？离了这么长时间？”老太太见马林生长时间不说话，迂回地问。

“有……几个，还在看，没最后定。”马林生蓦地明白了老太太的意思，立刻说，“不过她们的条件都是希望对方有一个大一点的男孩儿。”

“没听说过……”

“真的，省得自个生了，还得一把屎一把尿地养。”

马林生含混地答复前岳母，这件事要尊重马锐本人的意愿。他有意避开正面表态。

“关键是你的态度。”老太太说，“孩子好办。”

马林生闻言吓了一跳，难道她们已经事先把马锐拉过去了？

“马锐怎么说？他同意了？”

“他……”老太太支支吾吾，“只要你同意了，孩子好说服。”

马林生松了一口气，看来马锐并没有跟她们做幕后交易，也许这就是他母亲迟迟不把他送回来的原因。

“你同意不同意，倒是给个话。”。老太太有些焦急。

“我尊重孩子的选择。”马林生仍然狡猾地兜圈子。

“好，那就是说，如果说孩子同意了，你也没有意见，等于你同意了，你说的是不是这个意思？”

“我……”马林生犹豫了，他拿不准这是不是个圈套，如果脱口承认，会不会立刻产生后果。

“如果孩子跟他妈妈生活，我们可以不要你的赡养费。”

正是这句充满交易味道的话激怒了马林生。

“不，就是孩子同意，我也不同意！”

后来的情景令马林生很感动。

他一看到带着儿子回来的前妻就知道他赢了。前妻不是个有城府的女人，喜怒哀乐都挂在脸上，她好像哭过，弄糟的眼影像熊猫一样黑了两个大圆圈。她气呼呼的，对待儿子也不像早晨那么甜腻了。

但当他把女方的要求向儿子概述一遍，等待儿子表态时，他还是感到一阵突如其来的紧张。

这两个娘们儿在外面又给儿子打扮了一番，他穿的都是新买的衣服，头上的帽子也换了一顶漂亮的白色遮阳帽，就像要去夏令营或机场欢迎贵宾。

他显然是累坏了，脸晒黑了点没有丝毫快乐的神气。当大人们郑重地向他问话时，他只是不耐烦地说：

“我不想住到别处去。在这儿惯了。”

然后他就疲乏地进里屋倒床上了。

前妻和前岳母沮丧地离去后，他进了里屋，笑嘻嘻地问躺在床上的儿子：

“她们都带你上哪儿玩了？”

“还不是逛商场，买东西，女人感兴趣的那一套。噢，还去游乐场了。”

“她们一定不许你坐过山车吧？”

“没让。她们连碰碰船和电动汽车都没让我玩，只让我去坐小火车旋转木马之类的小孩儿玩意儿，最后还陪她们坐了趟大观览车。”

“跟女人出门就是这样儿，不能尽兴。赶明儿我带你出去玩一次，保证让你玩个痛快。怎么样，愿意不愿意？”

“行啊。”马锐脸朝里闷声闷气地回答。

马林生拆开扔在他床上的一些包装袋和纸盒，“这是她们给你买的衣服？俗气！穿上像小流氓……”

马锐没有回答，他似乎快蒙眬睡去。

“起来洗脚，洗完脚再睡。”马林生拽着马锐一只手把他从床上拉起来。

大概是因为玩得太兴奋走路走得又太累，所以他睡着后情不自禁了。马林生站在院里的阳光中，看着晾衣绳上随着微风轻轻摇摆的红领巾和小裤衩愉快地遐想。他想起自己少年时的第一次梦遗，那也是一次剧烈运动后悄然勃发的，但那可不是玩，那是在学校操场挖防空洞，抡了一天大镐累的。

玩累出来的，真是幸福的一代！

他现在还不想把他的决定立即告诉儿子，暂缓几日。他不想让儿子把这看成是一种感情冲动的奖赏，是报答。那会使他显得太功利。这和他竭力保持的一贯形象不符，也会使儿子误解乃至轻薄了他的这一举动。应该选择一个平淡的日子，在谁也不欠谁的情况下，严肃、庄重地宣布。以表明这一想法完全出自他头脑的惊人思考，是经过深思熟虑、反复权衡才得出的审慎决断，并非心血来潮灵机一动想出的馊主意！

他美滋滋地去上班，似乎已经看到了宏图实现后那幅暖融融的、充满天伦之乐的父子行乐图。一路上，他对四周穿过、交肩、贴紧他的人群充满了友好的感情。

进了冷清、熟悉的书店，开始了一连串的开门前的准备工作，他的精神盛宴才伴随着手中单调、日日重复又马虎不得的活计一点点结束了喧闹。

他站在十几年如一日惯常站立的那个迎着门的位置，彬彬有礼、耐心地等待第一位顾客时，有一种狂欢后的疲乏和委靡不振，如同梦醒之后坐在自家床上环顾的怅然若失。他能改变儿子的生活使儿子呼吸得更舒畅，但这一改变并不能使他自己的生活全部充满意义。他有他的渴望，他的溃疡他的炎症，必须用另一味药才能使他痊愈。

一个胖胖的家庭妇女拎着个网兜走进来了，接着又走进来个东张西望电器开关推销员似的男人；一对青年男女在门口闪了一下又消失了似乎进错了门又及时发现了。那个姑娘隔着玻璃往里看的笑脸久久印在他脑子里，像一张不停重放的幻灯片。

从上次之后，那个不知名的少女就没再来过。他曾很有信心地蛮有把握地期待过，并把再次相逢的间隔推算假定在人们习惯循回的几个周期内：三天、一周、十天、半个月。有几次，他甚至预先产生了强烈的预感，无论从天气、气氛、心境种种迹象看都有她出现的先兆，结果他把自己弄得激动不堪而她并未出现，使他落入深深的失望。

她就像一块冰融化在水里了。有时他在街上行走的不同少女脸上会依稀发现她的特征和神情，这往往使他暗暗一怔，但再细端详，那神情似又不翼而飞，面对他的只是个陌生少女。那纯洁明媚的微笑使他怀念，成为他的梦想，失散愈久愈使他记忆犹新。过去他一直不能肯定梦想存在，每当憧憬只是模糊残缺的一个大概，一些凌乱的局部：阳光下飞扬的长发；明净如水的眼睛；洁白如贝的牙齿以及清脆、渐渐远去的笑声。如今，这寄托具体了，他的想象力也随之丰富、具体了。

他想象那应该是个雨中的阴天，使人忧郁情不自禁柔弱起来的天气。一双穿着凉鞋的修长的脚踩着路上的雨水，轻盈、飞快地小跑着，水花在她的脚下噼啪四溅。同周围那些形形色色的皮鞋、球鞋和雨鞋比，这双脚格外富有活力，犹如一只鸟穿梭飞行在粗笨斑斓的走兽之上。

他的情趣不自觉地深受流行歌曲和抒情小诗的影响，就像看到“雪碧”汽水立刻产生对广告片上飞溅的清泉的联想。另外他也设计不出更别致同样充满浪漫情调的场合，正处于炎热中的尘土飞扬的城市，还有什么比一场雨更叫人惬意更感到清爽的？他现在已经过了格外怕被人说酸的年龄，酸就酸点吧，能酸起来也说明自己不老。

当然，她只能同时也是顺理成章地避进了对她敞着门的书店。对面雨骤然大起来，她正可以借避雨之际在书店翻翻书。

还有什么比下雨和读书更能联在一起更能制造闲愁的器物？

他不想让她一眼就看到他，那也许会使她一惊、一愣，感到局促、不自然或慌乱。他有这种体会，瞬间的不知所措会促使人下意识地抽身走开，即使留下来也会作出超出本意的冷淡和肃穆。应该等她站稳了，在书店里呆住了，对这个环境自在了，同时又感到有点无聊，开始观察四周，这时，再让她看到自己。

会不会认不出来呢？不，当然不会！否则还怎么叫有缘？看到自己会怎么样呢？似乎只有嫣然一笑得体也更富有暗示。马林生自己呢？他拿不准自己会不会脸红，是脸红一下显得自己年龄虽大依然纯洁给人印象好呢，还是大方爽朗老练豁达让人看着喜欢？他觉得还是后者更有派头，就大方爽朗！

说什么他可没想好，显然不能像熟人那样打招呼。还有个谁先开口的问题，这问题好像比较次要，谁先开口都可以，看谁现成的问候先出口吧。接下来呢？可以互相注视，打量一会儿，看对方变没变样儿，但这时间不能过长，过长没话光互相踅摸就容易讪讪的了。也只好接着聊书了。他可以介绍一些新书，问她一些看了那本他推荐的书的观后感。她会不会喜欢呢？这好像也无所谓，她喜欢，有所领悟，自然可以越说越近。不喜欢，他也可以随之改口，共同鄙薄、嘲笑一番作者粗浅和才拙智低，同样可以说到一块去。而且，一起鄙薄他人比一起称颂他人更容易使议论者有亲密无间和勾结在一起的感觉。姑且定她不喜欢那本书吧。她应该是个有主见、不那么轻易就得到满足的人，否则难保不在遇见他之前先被别人勾搭走了。

他们聊得很开心，他的真知灼见、妙语雅谑不时使她忍俊不禁，咯咯笑起来，更加热情地望着他……这里，他的想象有点梗阻，她总是面对着他，因为那天他对她最清晰的记忆就是她面对着他时的那个笑容，这有点像和一张照片谈话，无法变换姿势、也就很难生动活泼地深入下去。

后来，当然是她走了，雨停不停她也终究要走。互相通报姓名、住址了吗？有没有定了一次约会时间？会不会显得太快了点？双方都有些轻浮？像写小说一样一相情愿？留待下次吧，为了更真实。

马林生就这样胡思乱想地站了一天。后来外面真下起了雨，气氛愈发逼真，他几乎魂不附体了。

| 第六章 |

“星期天你想上哪儿玩啊？”

“随便。”

“你喜欢去哪公园吧，你说？”

“哪儿都成。您怎么，星期天想动弹动弹了？”

“我是想带你去玩。我答应过带你玩一次，我说到得做到。”

“我无所谓，星期天待家里也可以，不一定非去，真的。”

“去去，要去，我们也好久没有出去玩了，你想去哪儿？”

“……想不出哪儿好玩。”

“去游乐场？”

“去过了没劲，齁贵的。”

“那去八达岭、十三陵？你还没见过长城呢。”

“真的和电视里不一样吗？我不想去。我们同学去过都说没意思，累得要命看不着什么。要去就去个近点的地方。”

“那咱们就去划船吧，去紫竹院或者北海。”

“行，你看着办吧。”

马林生星期六就开始做准备，买胶卷和食品，像个娘们儿似的把各种出门的零碎装了满满一网兜，既兴奋又忙乱，临出门还不住地问儿子：

“这些吃的够吗？要不要再煮俩鸡蛋？”

马锐看着父亲网兜里那些不新鲜的甜面包和廉价的粉肠小肚说：“够了，都吃不了。”

“吃不了就使劲儿塞，咱们这是野餐。”马林生眉飞色舞，口气豪爽，“噢，忘了，水忘带了，快去拿水壶。”

“要我说，这些您就甭带了，公园什么没卖的？回头挤车再都挤烂了，拎着也怪沉，何必呢？”

“也好。”马林生想了想，豁然开朗地笑着说，“中午饿了我带你去下馆子，咱们好好撮一顿。也好也好。”

马林生放下网兜，甩着两手，“这么倒也省事。”

他本来还想让马锐换件好点的衣裳，想想也作罢了，何必搞得那么隆重，倒不自在了。

“要不要叫上夏青一起去？”出门时他还朝儿子眨眨眼说。

“叫她干吗？”马锐挺不高兴，不喜欢他爸说这话时那模样儿。

街上人挺多，公园里人也挺多，净是些带着孩子来逛公园的年轻夫妻，也有单身父亲或单身母亲一个人带着孩子来玩的，但那孩子都很小，马锐这个年龄的男孩跟着父母在公园里逛的倒不多。

他们到公园已经有点晚了，游船都租出去了，租船处仍有很多人排着队耐心等候。本来不大的水面密密麻麻布满了各式游船，就像一脸盆水里漂着过多的香皂盒子。特别是那些造型粗笨、颜色艳俗的鹅船、鸭船，既占水面又操纵不便，坐船的人就是用力蹬踏它也行驶不快，晃晃悠悠妨碍着别的船划行。

马林生先是在租船处排了会儿队，后来发现这么等下去遥遥无期，只好死了划船的心，另觅趣处。他端着个照相机，指着一路看见的亭子、垂柳、山石、花丛什么的让马锐站过去留影。有时看到格外精致的去处，自己也挺胸凸肚背着手站在花前柳下做画中人。他兴致勃勃地率马锐登山，每到一坡便回首眺望，连声赞叹，作饱览祖国大好河山心旷神怡状。看到一株花儿他便凑过去欣赏一番，俯身嗅它一嗅，赞它几句天生丽质；见到一块乱石，他也要围它端详一遭，以手扪之，以指叩之，夸它几声奇峭清峻，沿途那些或曾耳闻或根本不晓得他是老几的鸟人写的鸟字，他更是流连忘返，细细揣摩，一步三回头墨迹已逝兀自恋恋不舍。玩得那叫有滋有味儿那叫热闹忽喜忽惊忽嗔忽叹，每每还要将自己的得趣之处与马锐分享。

“笑啊，笑啊，你不笑我怎么照？”

他从取景框里看着马锐，连笑带叫，惹得路人纷纷投来目光。

马锐匆匆一笑，“咔嗒”一声，他从照相机后露出脸，冲马锐大叫：“你骑那石头上去一手揪着树枝再来一张。”

后来，他行至后山，看到花木掩映、山石遮蔽内的一间厕所，顿觉尿意盎然，慌忙丢下儿子急急奔向那厕所。片刻，踱了出来，神情茫然。

他似乎也闹得有点累了。

父子二人在甬路边一张长椅上坐下，半晌无语。他差不多抽完了一支烟时，问儿子：

“你觉得有劲吗？”

马锐瞅他一眼，没吭声。

“说实话，没关系。”

“没劲。”儿子说。

他赞成地一点头，“我也觉得没劲。”

“马锐，说真的，今天我想跟你好好谈谈。”

他们来到临湖的一个茶亭相对坐下，马林生给儿子买了一瓶汽水和一盒冰激凌，自己要了杯茶。从他们坐的地方，可以很清楚地看到湖中来回徜徉的游船和船上笑嘻嘻的男女、儿童以及他们打的五颜六色的阳伞。

“我早想找这么个机会了，今天看来挺合适。”

“我又怎么啦？”马锐一脸不乐意。

“你没怎么，都挺好。我就是想跟你聊聊，了解一下你近来的思想。”

“你可以到学校去问我们老师，我近来表现怎么样。”

“我不是那意思。”马林生有点焦急，不知该怎么表达才好，“就是随便聊聊，不管你近来的表现如何。像……像你平时和你的那些小朋友闲聊一样。”

马锐看着爸爸，有些猜不透他的用意：“那……聊吧。”

“说真的，马锐，你是不是对爸爸有意见？”

“没有。”马锐顿时紧张起来。

“真的真的。”马林生用胳膊肘碰碰儿子的胳膊，十分亲热地凑近他，“有意见就说，没事，我现在正虚心着哪。”

“真的没有。”马锐把身体往后靠靠，丝毫不放松警惕地说，“这话你上回问过我，我也回答过你了。”

“唉——”马林生叹了口气，“也难怪你不信任我，我过去的表现也确实没法让你信任——你是不是觉得我过去特恶劣？”

“没有没有。”马锐再三说，“您别自个折磨自个。”

“那你觉得我过去挺好啦？”

“这个嘛……”马锐回避着爸爸热忱的注视，“当爸爸的不都这样儿吗？您比别人也没突出到哪儿去。”

一条游船划到他们近前的湖畔，一个年轻的爸爸停桨给依偎在妈妈怀里的花朵般的小女儿照相，一家人都笑容满面，在湖光的映照下容光焕发，小女孩儿撒着娇发着嗲，嫩声嫩气的声音断断续续地传过来……

马林生被这一家人构成的幸福情景深深地吸引住了。片刻，才转过脸来对马锐说：

“从前，有一段时间，咱们要比现在亲密一些。”

“我小时候？”马锐试探地问。

“对，你还记得吗？”

“模模糊糊吧，那时候我还不懂事呢。”

“现在懂事了？”

“嗯……现在更不懂了。”

“你小时候很乖，比其他孩子都显得要乖。”

“是啊，我也觉得我现在是在退步。”

马林生心中一阵烦躁，谈话要这么进行下去又要落入一个批评一个检讨的旧套路，怎么推心置腹地交谈就那么难？

“你不觉得咱们现在的关系不正常吗？”

“……”

“我是说，在如此亲的两个人之间，一个父亲和一个儿子难道不该更亲热、亲密些，更无所顾忌无话不谈赤诚相见些吗？”

“我没对你隐瞒什么呀。那次抽烟就那么一次，后来我就没再抽过也没有再跟老师捣过乱……”

马锐诚恳地望着爸爸，马林生凝视了他几秒钟，扭过脸去一口一口地抽烟，神情沮丧。

太阳稍稍有些倾斜，光线柔和了一些，湖岸四周的林带更加殷绿幽深。不同树种的枝叶颜色的细微差别层次鲜明地呈露出来。湖水更加耀眼了，似乎被镀上一层厚厚的金漆，重重叠叠钻石一般不停变幻着受光面，把阳光从四面八方折射过来，使马林生不管把眼睛往哪个方向看都会感到焊花般弧光闪烁。

他被这种直射眼中的强光刺激得几乎都要流泪了。

“你觉得我做得不够是吗？”马锐怯生生地又充满友好地问道，“你想把咱们的关系变成什么样儿？”

“不是我想把它变成什么样儿，儿子。”马林生充满感情地说，“而是想让它成为它应该的那种样子。”

“它应该是什么样儿？”

马林生回过头来看儿子，“你说一个父亲和一个儿子应该是什么样儿？”

马锐认真地想了想，沉思了一会儿，抬起头望着父亲，困惑地摇摇头，“我想象不出来。”

他是那么严肃、郑重，他的真诚感染了马林生。但当他想要回答儿子这一问题时，他同样也陷入了困惑和迷惘，这才发现，他对正常的父子关系应该是什么样儿，脑子里并没有一个现成的、条缕分明的蓝图。

“它应该是……”他一边想一边小心翼翼地措辞，“互相尊重又互相关心同志式的……对，互相尊重这一点很重要，可以说是至关重要，是一切一切的基本——你以为如何？”

“我对您尊重当然很容易……”马锐吞吞吐吐地说，“问题是……”

“我也会对你同样尊重像你尊重我一样。”

马林生看到儿子眼中的不信任和怀疑。

“怎么你不相信吗？”他爽快地检讨自己，“过去我对你一直是不太尊重，经常挫伤你的自尊心，这是我的不对，今后我不会那样了，我要改正一向对你的态度。老实说，我今天找你谈话，就是想告诉你这点，我对我过去的所作所为很内疚，对我曾有意无意地伤害过你表示悔恨……”

“啊，没什么，您别这么说……”马锐显得很不适应，很不安，很难消受。

“不！我要向你道歉，我要十二万分诚恳地向你道歉，请你原谅。”

马林生热烈地说，他感到十分兴奋，由衷地快活。能够一股脑儿地把自己的歉意、负疚都倒出来，使他感到轻松和快慰。他这才明白天主教和基督教信徒为什么要向神父或牧师忏悔，这实在是一种科学、体贴的安排。痛快地悔过有时真是比恬不知耻地吹牛和强词夺理地狡辩那么硬撑着更令人舒坦，过后那么心安理得无忧无虑。旧的罪孽、恩怨一笔勾销了，从今后又像个婴儿那么清白纯洁，何况对方又怎么能不被深深感动？

“你能原谅我吗？相信我能说到做到，痛改前非……”他差不多是含着泪对儿子说，捧着儿子的手。

“我能，我相信，你要我原谅什么？其实没你说得那么严重……”马锐脸涨得通红，话也结结巴巴的，他简直不知道怎么说、干什么好了。

他只好也同时开展自我批评似乎只有这样才能安抚父亲告慰自己。

“其实你也是不得已，有时也真是我太不懂事，闹得太出圈。别看您有时没头没脸往死了打我，疼劲儿过去我还真没恨过您，准知道您是气糊涂了，轻易您也下不了那么狠的手。”

“你越这么说，我越觉得你懂事我不是东西了。这么点的孩子都比我强，我这心里能好受吗？”

马锐看他爸那劲儿，兴许有心号啕大哭一场才解恨才顺得过来心气儿，可这是公共场合，那么干也太肆无忌惮了，惊动了地方丢的可不光是他一人的脸。于是叫了一声：

“爸，您差不多行了，也不瞧瞧这是什么地方。”

“嗯，这是哪儿啊？”马林生收势四下瞧，的确有看客贼头贼脑地瞟他，整容坐正，冷静下来。

“这事谈开了，就完了。”马锐说，“您的心情我明白了，过去的事就让它过去好啦，也别老提了，您是诚心诚意倒显得我不饶人了。再说，您是我爸，就算什么事做过了点头，难道我还和您计较不成？”

“行，过去的事不提了，咱们重新开始。”

“要我说，您该什么样儿就什么样儿，也别非撑着改头换面让我瞧着高兴，何必呢？我也没有说过去那样就活不了啦。”

“不不不不不，要有一个新开端。瞧着吧，我会变一个人的，变得让你都认不出来。”马林生充满信心地说，扬扬自得地瞅着儿子，“你会吓一跳的。”

“您想干吗呀？”马锐满腹狐疑。

“做你的朋友啊。”马林生亲切地微笑着，柔声细气地说。

“做我朋友？”要没神经、血管连着，马锐眼珠子差点掉下来。

“是啊，做你的好朋友。”马林生不乏憧憬地说，“让我们像一双好朋友那样友好地生活在同一个家庭内，互相照顾互相爱护，不论大事小事共同磋商，一起斟酌。互相之间谁有了什么缺点和不足，都能坦率地给对方指出来，帮助对方改正。有了什么冲突和摩擦，也能像国与国之间处理问题一样，在充分尊重对方的主权和领土完整的条件下，一起坐下来，心平气和地加以讨论。摆事实讲道理，本着世世代代友好下去的原则，在互谅互让的基础上谈判解决大国小国一视同仁既不纠缠历史老账也不以武力相威胁……”

马林生说得唾沫星子四溅，马锐听得目瞪口呆。

“这是书上描绘过的还是您的发明创造？”

“我的发明创造。”马林生谦逊地回答，“你觉得不好吗？”

“我倒没觉得不好。”马锐含含糊糊地咕哝，“可这合适吗？会不会乱了套？谁都不管谁了……”

“旧的传统观念是多么束缚人啊！”马林生感慨系之，“不会乱！只会越来越好。你看那电影里，人家外国家庭中的那父子关系。我就羡慕人家老子对儿子儿子跟老子的随便态度。父亲能跟儿子开玩笑，儿子也能拿父亲打趣儿——以后你想跟我开玩笑，尽管大胆开，我不急，我就喜欢人家这么亲热地对我，粗鲁点也没关系。”

“那你，也打算拿我开玩笑了？”

“我会的。家庭嘛，就应该充满欢笑。为什么不能这样呢？”马林生像是和谁委屈地争辩，“难道父亲和儿子不是相依为命的一对吗？”

马林生转忧为喜，拍拍儿子肩膀，“怎么样我说的？你听了不觉得鼓舞吗？”

没等马锐回答，他又继续接着说：“当然，现在这仅仅是我的一个设想，真要付诸实现，还要靠我们俩的努力。这是个新事物，一个尝试，可说是史无前例——咱们家的。咱们都没有经验，只能是摸索着前进，你要有什么好的建议好的想法也可以提出来供我参考。”

“我现在头有点晕乎乎的。”儿子说，“您先让我习惯习惯……”

“饿的吧？”马林生看了一眼手腕上的表，“哟，都过吃饭的点儿了，光顾侃了。走走，咱们找地方吃饭去，还是肚子要紧。”

沿湖岸往公园出口走时，马林生忽然想起什么似的对儿子说：

“今儿起，你也甭管我叫爸爸了。”

“那我管您叫什么呀？”

“叫名字、嗨，都成。‘您’字也去掉，都用‘你’称呼。这些个尊称敬语统统废除——你就把我当你的一个小哥们儿对待就齐活了。”

“……我谢您了。”

由于午餐时间已过，街上很多正规一点的饭馆都歇业了。他们在街上走了半天，也没找到一家既体面又能消费得起的合适饭馆，最后，就愣在街上了。

“要不咱再往远走走，到那边大街上找找。”马林生跟儿子商量。

“我都饿坏了。”马锐说，“咱们别走了，就在附近随便找个个体的馆子吃得了。”

“那不行。”马林生不同意，“吃就找一个像样点的国营集体去吃，个体馆子又不卫生味道也差，都是对付人的。咱们这顿饭得吃得有意义。”

“那我点个地方你带我去吗？”

“行啊，你只要别点那些有洋人股份的吃完跟咱们收洋钱的地方。”

“不会的，”马锐说，“我点的地方你肯定去得起，而且你去过。”

“你说吧，哪儿啊？”

“你第一次请我妈吃饭的地方。”

马林生半晌无语，用温柔的目光看着儿子，“你怎么想去那儿？”

“没去过，不知道在哪儿，想看看。总觉得有那么一个地方。是不是有？你总不至于一顿饭没请我妈吃过就和她结婚了吧？”

马林生呵呵大笑，“当然不至于，也没那么便宜。让我想想，第一次是在哪儿？”

他眺望着前方阳光下的古宫墙、跨越两湖之间带有白栅栏的马路桥和熙攘的人群川行的车辆以及鳞次栉比的建筑房屋回忆着，啮咬着下唇。

他掉脸朝儿子微笑了一下。

“走吧，要去那个地方还要坐车。”

这是个位于繁华路口的一家相当富丽堂皇的大型饭庄，马林生带着儿子走到门前，竟有些踯躅逡巡。这家饭庄已经过彻底的翻修，与他当年光顾时大不一样：加盖了楼层，营业面积扩大了几倍，内外装潢也有天壤之别，服务员清一色都是身穿锦缎旗袍的年轻小姐。当年这只是卖大众菜肴的食堂式的下等饭馆，店堂内终日挤满吃包子喝鸡蛋汤的出差干部。开票、端菜都要自己去排队，然后高举着吆喝着挤回桌前。同一张餐桌上经常坐满不相识的一群人，各吃各的，脏盘脏碗一直推到鼻子尖前，自己的饭菜都没地方放。你吃的同时身后还站着一圈等座的人盯着你。那些服务员都是些泼辣的娘们儿，一个个脏得像鬼，端着成摞的盛着剩汤残羹的盘碗在人群中钻来钻去。经常可以听到随着一声打碎盘碟的脆响蓦然爆发的一开始便达高潮的剧烈争吵，很快便演变成最肮脏、最不堪入耳的对骂，你可以领略那些外表朴实的人们对性的最猥亵最变态的丰富想象。

这条街离他工作的地方并不远，只隔了几条马路，但他几乎有十年没来过这儿了。

他仅是凭那块袭用旧名的店名招牌才断定是这个地方。

“你第一次请妈来这儿她多大？”

“比你现在大个四五岁。”

“噢，那她也不大呀。”

“是的，那时她很年轻，中学刚毕业。”

他们在引座小姐的带领下，在角落一个很清静的厢座面对面坐下。

马林生按照价钱的可接受程度搭配着点了几个菜，并让马锐点了两样他喜欢感兴趣的菜。给自己叫了啤酒给儿子要了饮料。

“那时你多大？”

“你算算吧，我比你妈妈大四岁，你说我有多大？”

“你也不大，也不过二十出头。”

“当时我都插队回来了。”

“你比她大，那当时就是你主动了？”

“啊，可以这么说……你打听这些事干吗？都是些陈谷子烂芝麻的事，跟你有什么关系？”

“作为朋友，第一条不就是要先互相了解？我你是了解的，刚生下就在你眼前一直长到现在也没离开。你就不同了，我得了解在我之前你都干吗了，跟谁待在一起。”

“说得有理。你就问吧，今天我充分满足你的好奇心。”马林生微笑着，端起小姐为他斟满的酒杯，喝了一口。

“你跟她到这儿来，是初次相逢还是早就认识？”

“早就认识。到这儿来吃饭都是关系明确之后了，也不是第一次约会。我们那时不像现在的年轻人第一次约会总是请吃饭请跳舞请听歌什么的，那时还没这些花样儿呢。”

“那是请看电影了？”

“也不是。”马林生笑道，“那时电影也没什么好看的，都是组织观看，样板戏彩色印染西哈努克在哪里……我们初次相逢是在另一个地方，离这儿不远的一条胡同口。那时你姥姥家住这一带，你妈上学常从那条胡同走。那时我也不在现在这单位，在街道一个小工厂，也在这一带上班，所以常能碰见。”

“你就上去和她搭话了？”

“哪敢哪！也就是眉来眼去一番，然后各自走开。”

“她那么小也会这个了？”马锐笑嘻嘻的。

“女人这个本领都是天生的。我看夏青更小，媚眼不也飞得很有水平了？”

“不知道，没见过。”马锐装得一本正经，“也不能总眉来眼去，总得互相说话，要不怎么认识啊？”

“后来我打听到我们厂有个同事跟她住一条胡同，认识，就托他去跟你妈说了，说有个人想跟她认识认识。”

“是托人说的，不是自己追的？”

“不是，没那么浪漫。我那会儿老实得很……噢，现在也很老实，一直属于老实人。”

“你们那会儿也真够惨的。”

菜陆续上来，父子俩开始吃起来。

“菜做得还行吧？”马林生用筷子夹着，对儿子点头说。

“还行。”马锐也一点头，伸筷子去夹其他品尝。

“你当时就看上她了？”

“嗯，看上了。”

“她当时挺可爱？”

“小姑娘嘛，十八无丑女。”

“没同时看上过别的什么人？脚踩两只船？”

“没有。有也只是灵魂深处一闪念，没敢细想。”

“还挺纯情？”

“那是！”

“那后来，现在怎么又不爱她了？”

“咳……咳咳……”马林生被一口酒呛住，连连咳嗽，用餐巾擦擦流出的鼻涕和挂在下巴上的酒液。

“是嫌她老了，变难看了，胖了？”

“这你就问多了吧？”

“您不是拿我当朋友吗？朋友之间不就该无话不说？”

“朋友间也不能老谈女人，还可以谈点其他的嘛。”

“这女人咱们不是都熟吗？”

“一句两句跟你说不清楚，有些大人的事你也不懂。”马林生狐疑地问，“你妈是不是那次跟你说什么了？”

“没有。”

“你不是你妈派来做我工作的吧？你这话问得不对嘛。”

“你瞧，又怀疑，我妈派我干吗？”马锐低头去夹宫保鸡丁里的花生米，“您甭乱猜，我不管你们俩的事。”

马林生有心再加盘查，又一想，别破坏了这好容易创造出来的哥们儿气氛，忍住了。

“爸。”

“叫老马。”他挤着笑说。

“老马，你觉得你属于那种喜怒无常的人吗？”

“不，我不这么看自己，我觉得我，一般来说，情绪还是比较稳定的。”

“老马，我是有什么说什么，说得不对了，你也别生气，就当我是胡说八道。”

“怎么会呢？”

“如果你不喜欢，不想听我这么对您，对你品头论足，那我就不说了。”

“正相反。”马林生干笑着，“非常欢迎，我洗耳恭听。”

“你是不是对自己一向，总是评价很高？”

“你认为我是个自大狂？”

“不是我这么认为，我是问你自己怎么看？”

“我对自己还是实事求是的。”马林生说完发现这回答本身就充满自以为是，于是他艰难地结结巴巴地承认，“有时我的确不能客观地看待自己，这也不可避免，对不对？”

“你是个自尊心很强的人，老马。”儿子严肃地对父亲宣布自己的看法，“所以你容易有挫折感。”

“可能。”老马强笑着，“看来你还挺了解我。”

他已经开始感觉为这一民主姿态付出代价了。

| 第七章 |

早晨，马林生一觉醒来，徐展身体，轻启双目，立刻感到一缕阳光的照耀，满眼金星脸上热烘烘的。回过神来他吓了一跳，连忙爬起来看桌上的闹钟，时间早过了他给自己规定的起床时间。他掉脸一看，儿子也仍在他的床上酣睡，毛巾被把身体的中段裹得严严实实。

“起床了！”他像往常一样粗鲁地吼了一声，跳下床把儿子盖的毛巾被蛮横地一掀一拽，扔到一边，将儿子赤裸裸地暴露在光天化日之下。

奇怪的是儿子并没有像以往那样，受惊似的从床上一骨碌爬起来，慌慌张张地去穿衣裳。他仍旧大模大样地躺在床上，只把眼睛睁开一条缝。

“你嚷什么？吓我一跳。”

他翻身朝里继续睡去，一只手拽过团在脚下的毛巾被搭盖在身上。

“嗬……”马林生正待发作，忽然想起从昨天起他们的关系已不是从前的那种关系了。一夜昏睡他几乎把这事忘个干净，现在他完全想起来了，他和儿子像一对哥们儿一样吃了顿饭。他喝了很多啤酒，后来在他怂恿下儿子也喝了起来。两个人你一杯我一杯地干杯，说了很多从未互相说过的亲热话，酒酣耳热之际称兄道弟，他甚至对儿子吐露了不少自己的隐私。回到家里，各自躺在床上还一直热烈地聊到深夜……

他不禁脸红了，怀疑自己是不是有失检点。但这回忆是甜滋滋的，他很少像昨天那么快活、痛快。

他记起了自己的承诺。

“该起床了，你看都几点了？”他和颜悦色地柔声说。

“从今后，我不起那么早了。”儿子屁股朝着他闭着眼睛说，“你上班单位远，所以你要起早。我学校这么近干吗跟你同时起床？起来也是待着混时间，不如多睡会儿。我正在发育需要睡眠。”

“觉不够睡中午睡嘛，早起对身体有好处，起来没事出去锻炼锻炼。”

“谁说早起对身体有好处？你没看报纸上登着消息？早晨是一天中空气最混浊的，清早出去跑一圈步相当于一个人每天抽一包烟连续抽二十年——你不是害我吗？”

“那你打算几点起呀？”

“误不了上课就行了。”马锐翻身坐起，一把抓过桌上的闹钟看了一眼说，“以后我每天都在北京时间六点半起床。我已经受损失了，白白被夏令时偷了一小时——你还让我早起？”

“好吧，那你就自己掌握好时间吧，迟到了可不成。”马林生走开。

“喂。”儿子叫住他。

他一回头，见儿子笑眯眯地瞅着他，指着自己脑瓜问他：“这儿，还晕吗？”

“早没事了。”马林生笑着说，“一开始就没事，我根本没喝多。”

“得啦，昨晚谁又吐又闹的？”

“我吐了吗——胡说！”

“你瞧，又不承认，我真该把你吐的那盆疙瘩汤留着。”

马林生嘿嘿乐，“我真是一点不记得了。”

“赶明儿你还敢再喝吗？”

“那有什么不敢的？哪天，第二天没事咱们爷儿俩再好好喝一次。我没想到你小子还挺能喝。”

“昨儿我都是悠着的，根本没喝痛快。”

“行啊，哪天我让你敞开喝，看你能喝多少。”

马林生笑着离开屋。他虽然脸上笑着，心里着实感到不舒服。儿子跟他说话的口气是亲热得不分彼此的，真像哥们儿之间开玩笑一样，但不知怎么的，他听着别扭。看来一开始还真有点放不下架子呢。

那些天，他们俩基本是相安无事，有时互相打打趣儿。儿子也没过分利用自己新获得的权利，跟他说话时还挺有分寸，挺客气，有时挺注意他的脸色，尽量给他留台阶，表现出了充分严格的自律能力。他也开始渐渐习惯把自己放在新的位置上处理问题，心里那种别扭、不舒服、似乎受了慢待的感觉也差不多消失了。他甚至开始有些喜欢儿子跟他说话时那越来越无拘束、随便的口吻。

“老马，你累不累呀？”

当他像往常一样，在夜幕降临后，熄了外屋的顶灯，只留一盏台灯，坐在自己的小天地里开始准备做他的文学梦时，儿子在一边打开电视，边看边对他说。

“怎么呢？”他回头问。

“坐那儿想还不如躺床上想呢。”

“去，你懂什么！”

“我是不懂，不知道您那么着解什么恨呢。写是不写，早拿个主意，我可是看您在那儿坐了有七八年了，一眨眼，可就坐老喽。”

“当然写，早晚要写，写当然就要写好——我只不过是对自己要求严格点罢了。”

“又来那盲目的自信。要我说您还别想那么远，先写个赖的叫我瞧瞧。也甭什么中篇、长篇，一个一分钟小说就成。”

“你当我做不到？你小子还别以成败论英雄。”

“小鸡不孵出来那只是卵子。”

“哎，你怎么这么粗野？”

“对不起，老马，我说顺嘴了，可话糙理儿不糙。真的，我真是不忍看您这么熬憔悴了。要说您，那也不比谁笨，有这七八年的工夫学什么不都出来了你说是不是爸？”

“油腔滑调！”马林生笑骂一句，接着似被触动地感慨，“倒也是这么回事。不过这就叫：执著呀——”

“别逗了。”马锐扑哧一声笑出来，“您这叫一根筋。”

“我一根筋碍着你什么了？”

“可你把这根筋拐道弯儿又碍着自个什么啦？”

“……”片刻，马林生说，“你还别瞧不起你爸，你摊上我这么个爸还真算你有福气。换个人家试试，不说别的，就冲你和我说话这口气，早大耳刮子抡你了。”

“我先声明我可没一点瞧不起你，你自个别心虚。再者说了，这不是您比一般人明事理吗？您不是学者吗？”

“别他妈拿我开涮。”

“真的真的。”马锐笑着说，“混同于一般老百姓您自个也不干哪。咱不能跟那不够标准的没文化的家长比。你讲话老师讲话：咱们得向那高标准、好的看齐！”

“你光会用高标准要求我，自己怎么不知道用高标准要求自己？”

“我怎么没用高标准要求了？有几个孩子能像我这样这么自觉地讨老师喜欢？上课听讲专心致志老师不问一言不发腰板挺得我都腰肌劳损了。”马锐捶起自己的腰。

“那是你学乖了。”马林生笑问，“你们那刘老师还给你们上课吗？”

“上啊，怎么不上？爱讲着呢。不给我们上课她干吗去呀？谁要她呀？”

“又出过错没有？”

“经常的，改不了啦，有时候错得你以为她是外语老师呢。”

“你们这刘老师水平是低点。我上学时我们学校也有几个这样的老师，没法叫人瞧得上。基本上就是刚扫了盲的也不知怎么就混进了教师队伍。噢，这话咱们关起门来可以随便说，出去就不要乱讲了。”马林生忙提醒儿子。

“我怎么那么傻呀？到外边我跟谁说去？”

“真没人吗？”马林生乜眼瞅着儿子，似笑非笑，“夏青呢？你没跟她说过？”

“你是不是偷听了那天我们的谈话？”

“没有没有。”马林生连忙否认，“不过你们在窗户根儿底下说得那么大声，我也听到了几耳朵。”

“我早怀疑了，看来以后还真得防着你点儿。”

“怎么你们俩挺好的？最近怎么老没见她来串门？”

“什么意思最——您？”

“有戏吗？”马林生做了个与其身份不甚相符的轻浮的鬼脸。

“您这话像是做父亲的说的吗？您不觉得有点下流？”

“关心关心儿子怎么啦？”

“您甭瞎猜，我跟夏青什么都没有，什么都不是。”

“是，现在是什么都没有，有什么也得等将来。那姑娘不错，真的，我这是心里话。”

“我说爸爸……”

“怎么忽然客气起来了？”

“我发觉你们这些大人，都是两面派。外表一个赛一个正经，背地里，心里边……”

“哟，急了急了，没劲！我都没急你倒先急了。”

马林生如此一说，倒把儿子怄笑了，无奈地说：

“你说我是拿你当爸爸好还是不拿你当爸爸好？”

那些日子，正值一个亚洲人民和运动员的体育盛会将要在京召开，全市人民都被动员起来作贡献造声势。大街小巷摆满鲜花，到处是彩旗飘飘，熊猫招手。扫大街的清洁工发了清一色的猩红新衣，终日活跃在街头，把马路擦得贼亮一尘不染。大小路口商场门前无不停有发售当场开彩奖券的专用车辆，车顶上架着作为奖品的自行车，扩音喇叭边放音乐边向路人招徕。车前挤满想试运气同时作点贡献的人们。为盛会谱写的歌词和曲调同样亢奋雄壮的流行歌曲盘旋在城市的上空。

马林生马锐父子俩作为朴素的爱国者，由衷地对盛会竟在我国举行感到喜悦，感到自豪，感到本民族的伟大和本国的国力增强。

在全国人民为盛会凑份子的热潮刚开始，他们就早早地捐出了一个月的生活费，没等街道大妈上门宣传。有那么几天，他们的捐款额在全胡同独占鳌头，后来很快，胡同里的几个大款出手了，把他们比没了。

但他们走在街上，看到四城八乡一座座、一片片拔地而起正在抢建的场馆，总觉着有自己一份儿，因而头抬得格外高。

这些天他俩很少拌嘴，光啧啧赞叹了。虽不能说团结得像一个人一样，有些小分歧也不过是在究竟有多了不起上是否把话说满。了不起是肯定的，是全无敌呢还是并列一流？他们虽然常会争得面红耳赤、各不相让，但从不伤和气。

对巨大事物的关怀使得人们友爱了。

夏青被学校选去参加开幕式献演，出任蜂拥而入满场放气球的少女之一。每天半天在学校操场排练入场时需要的轻盈步伐，晒得像非洲人。

她父亲夏经平很为女儿骄傲，专门找马林生炫耀了一番。马林生不动声色地听完，回头就找到马锐问：

“怎么没把你挑了去呢？”

“什么？”马锐不知所以。

“那个光荣的时刻。”马林生语焉不详。

“噢，他们只要女的。”马锐弄清了之后，说。

“我想要你知道，平时都好说，但我不想看到你在这种关键时刻显得落后。”马林生以前所未有的庄重对儿子说。

“我会像报上号召的那样，当好这好客的主人。”马锐发誓说。

父子俩一个比一个猛地投入到那什么之中去。平常父亲每天上班前都要抽空儿穿上杏黄色的印有“先锋”字样的坎肩在路口维持会儿交通秩序，迫使行人走人行横道。星期天，儿子就站在胡同附近的街上和同学们一起吹喇叭敲鼓。两人都很忙碌，十分辛苦，碰到一起也是吃了睡，睡了吃，无暇其他。但彼此心情很愉快，不笑不说话。马林生真觉得生活变得理想了像歌儿唱的一样。岂止是儿子学乖了，全社会各行业包括大街上的闲人都变得懂事了。过去最让他犯怵的商店售货员现在见了他都像亲姐妹似的和气。起初他还有点不习惯，还是按照老例，进商店买东西低三下四。后来经过看报学习，仿佛有了撑腰的，再进商店便颐指气使存了一肚子词儿就等售货员稍有怠慢便甩脸子当场质问批评她——售货员压根没给他这机会！

马林生跟大伙儿像度蜜月一样陶醉在那新鲜劲儿里了。

那也是他和儿子的蜜月。

他曾不无得意地向老同学兼邻居夏经平炫耀自己教子有方——在夏经平向他炫耀女儿被选拔去当着亚洲各国来宾的面儿放气球是因为她多么优秀……几天后。

他劝夏经平也像他一样改变一下对子女的教养方法。

“你可不知道这一变的好处有多少，你放过羊吗？”

“没有。你忘了，我在兵团一直是打铁。”

“噢对了，你也没养过鸡，这你就没有放牧和圈养的比较了。”

“你说吧，我没吃过猪肉也见过猪跑。”

“圈养饲养员多麻烦呀，每天得给它们喂食、清扫；早上开笼，晚上收圈，清点只数；夜里睡觉都不踏实，生怕黄鼠狼溜门撬锁叼走一只。放牧就不同了，满山遍野跑去吧，哪儿草美哪儿水甜就上哪儿足吃足喝吧，任你膘肥体壮，我想吃哪头了就上山抓回来宰了——多省事！它们还没意见，觉得自由了，心情舒畅长得还能不快？你可别小瞧这点心理满足，这可比拿笼子关着用灯照放音乐还奏效还提精神——也人道。”

“这我就不明白了。你拿笼子锁着夜里都怕黄鼠狼叼了去，可天下撒了去倒不怕被狼咬了？莫非这一带的狼你都打光了？”

“你没听说过那句俗话嘛：黄鼠狼专咬病鸭子。怕是不行的，躲也躲不开。你得相信这家畜回到自然中会恢复增强抗御灾害的能力。所谓经风雨见世面，优胜劣汰，严酷的环境会逼得他们只能、必须更强壮。”

“你就不怕它们跑野了？你毕竟还是想有朝一日把它们吃了或者剪毛耕地再不然去集上卖个好价钱。它们倒是强壮了，锻炼出来了，不怕狼了——它们还会怕你吗？”

“这……”马林生一下被问没词儿了，张口结舌，咕哝着，“我不吃它们……也不卖不剪毛成不成……”

“那你养它干吗？这还叫放牧吗？噢，放出去了，这辈子谁也不见谁了，那不就是放跑了吗？‘牧’字如何体现？‘牧’就得包括管理。”

“……我这不是无为而治嘛……”

“你拉倒吧你！”夏经平不屑地一挥手，“就你这种饲养方针，谁敢把牲口交给你除非不想要了。”

“我说的是人，不是牲口。”马林生忽然想起来，“我不过是拿牲口打比方。”

“噢，你说的是人啊，我还当你跟我探讨骡马经呢。打了半天比方，我都想到邪处去了。”

“人就不一样了，人不是还有自觉性嘛……”

“倒是，要不怎么说比牲口强一截子呢。不过老实跟你说，人也不能这么养。小孩儿，那能算人吗？除了走道姿势跟牲口不一样，好多时候还没一老牲口懂事呢。就说马戏团那些狗啊猩猩啊哪个不跟小孩儿似的？怎么不说小孩识途偏说老马识途呢？”

“这我坚决不能同意你把牲口和小孩混为一谈！”马林生气愤

地说，“你不信我说的可以，我这就把我们家那牲口……不，把我儿子叫出来，让他当着你面现身说法，让他亲口告诉你我这么做体现出的巨大优越性和对他身心发展的……鞭策！”

“马锐！马锐！出来一下——”马林生高声冲屋里喊。

“干吗呀？”正在屋里练臂力的马锐举着两只哑铃出来。

“你现在就让他天天练‘块儿’了？”夏经平吃惊地问。

“这是他自觉自愿，自然产生的要求。”马林生相当得意地说，“孩子身上蕴藏着多么大的积极性！马锐，你跟夏叔叔说说，我都对你干了些什么？”

“没干什么，我爸最近没打我。”马锐跟夏经平解释，“您甭信夏青的传谣。”

“他对你挺好？”夏经平微笑问。

“嗯——”马锐瞅了眼爸爸，“还行。”

“怎么个好法儿？”马林生提示。

“实际上，”马锐继续朝夏经平说，“他最近对我什么都没干，如果什么都不干就算好的话。”

“你不觉得跟过去比心情愉快了？”马林生诱导问，“生活学习起来也格外有劲儿？”

“是觉得威胁小了点儿？”

“你不感到生活变得美好了吗？不感到前途充满光明？”

“感到了。”马锐老实地承认，“多少感到了点儿太平。至于前途，我还没多想。”

“这应该归功于谁呢？我是说，这一切你应该感谢谁？”

“当然是您，爸爸。”

“这话应该怎么说呢？”

“您是问颁布给咱们市民的文明用语中对遇到这种情况是怎

么规定的？”

“我是问遇到这种情况一个有教养的人会怎么样？”马林生温和地回答，用鼓励、期待的目光望着儿子。

“谢谢你，我的好爸爸。如果没有你，我至今还在痛苦黑暗中挣扎呢——够了吗？”马锐问。

“够了。”马林生谦逊地垂下眼睛，仿佛对夸奖有些不好意思的样子。

“够了我就走了。”马锐转身离开。

“怎么样？怎么样？”马林生紧紧攥着拳挥舞着，仰天大笑对老同学说，“昨天对你还一肚子怨恨，今天就满怀感激，仅这一点就值得，就是成功！你女儿对你这么温顺过吗？你有过这种……享受吗？”

“你真行，老兄。”夏经平真诚地羡慕，“还是你有办法，我服了。”

马林生像个初次受到恭维的少女，脸上兴奋的红晕久久不褪。

他急切地抓住老同学的手，如同每个中了头彩的幸运儿安慰其他没中彩的倒霉蛋一样，劝解中带着指点宣传着自己的诀窍。

“你也可以向我学嘛，老兄。这其实很容易，只要拉得下脸来就一切迎刃而解水到渠成了。”

“不行啊，老兄，我们的情况不一样。”夏经平懊恼地说，“咱们还是拿牲口打比方吧，你可以把牛啊马啊那些大牲口放出去不管，你能把鸡也轰山上去任其发展？那最后……说出来可就难听了。我那是女儿……”

“一样的一样的。男女一样的。”

“不一样。”夏经平白了马林生一眼，“我女儿对我要求严着哪。我要拉下脸来成天跟她没大没小的，她会瞧不起我的，认为我疯了老不正经。”

“懂了。”马林生同情地扶着夏经平的肩头，“你们家需要的是她们娘儿俩把你放出去不管。”

马林生有些变了，变得骄傲、虚荣了，像个刚演过一两部电影或唱红过一两支广告歌曲的小明星，唯恐人家不知道他是谁他能干什么。除了要听人家对他演技歌喉的恭维，生活中处处、一举一动也想听到喝彩和赞叹。

无论他干了些什么，哪怕根本不是为了马锐完全属于家长分内的家务劳动，也要让儿子夸他几句。譬如炒盘菜把煤气罐从外面扛进厨房安装好或者调清楚一个信号不太稳定的电视频道，都要问一句儿子。

“怎么样，我棒吧？其实这些事都应该你干，我全替你做了，还不谢谢我？”

马锐这时只好回答：“你棒！你真能干！我谢谢你了！”

他还特别喜欢当着一院邻居的面，把马锐叫出来，让马锐告诉大家，他马林生对儿子是多么的开明多么的慷慨多么的有人味儿。他像展览自己的得意之作一再让马锐出来亮相，甚至巡回到胡同里的其他院落，马锐如同肯德基炸鸡于山德上校“101生发灵”于赵章光一样标志着他的成就和心血。

要不是做不到，没准他会把马锐像人民英雄纪念碑一样竖立到哪个广场上去。

那天，他又在院里吹嘘了一番，直到天黑一个很有吸引力的外国电视连续剧开播同院人都纷纷回家去看走光为止，他才哼着小曲，拎着板凳得意洋洋地进了屋。

马锐阴着脸。

“怎么啦，干吗这么气鼓鼓的？生谁气了？”

马锐不理他。

“虹彩妹妹嗯哎依哟，长得乖那么嗯哎依哟……冲我来的是不是？”

“您觉得老这么着有劲吗？”马锐猛然发问。

“怎么啦，我怎么啦？”

“你说你怎么啦，怎么啦你不知道？”

“噢，嫌我当着全院人夸多你了？好好，你要难为情，以后我不当人面夸你了。”

“你那是夸我呀还是夸你自己？”

“你也夸我也夸。怎么，我不值得夸吗？”

“太值得了，你多伟大呀！永远谁夸也夸不够，非得自夸才过瘾！”马锐瞪父亲一眼。

马林生这才发现儿子的生气是认真的，收起了轻浮的嬉笑，在儿子身边坐下，纳闷地说：

“怎么，我夸自己夸多了？”

“我说你怎么像苏联人似的，”马锐挖苦父亲，“老要人家把对你的无私援助和兄弟般的友谊的感谢挂在嘴边，一次不提就要想方设法提醒人家。你真有那么多的虚荣心需要满足？”

马林生很响地喝了一口茶缸子里的剩茶，扭脸看看儿子，笑道：

“你觉得自尊心受伤害了？”

马锐把脸扭到一边，板着。

“这也值当生气？”

“如果是我呢？我为你做了件事，比方说你上厕所大便，没带纸，你喊我我去给你送了一趟——这不是经常的事吗？我老要你谢我，下回轮我求你办什么事时也老拿这事说讪——你会怎么想？”

“我不就好个自我表现吗？”马林生说着自个也脸红了，“喜欢在街坊面前争个面子。话自然就多，没边儿了，这也不算什么大毛病……”

“我可是一直给您留着面子呢。”

“这我知道，我心领……”

“可要老这么下去——您也得照顾点我的面子。人小也不能没面子！要不您就别来这假招子，咱们还回老样子，我比现在这么成天谢您还省点力气……”

“别别，还是现在这样好。”

“您可别让我觉得好像您就是为了想听我谢才成心这么着的。”

“别说了，你再这么说我可真无地自容了。”马林生望着儿子，“我改成不成？”

“您千万别勉强。”

“我错了，我向你道歉，我不会了。”

“老马，要是你想让我感动，觉得你特有闻过则喜的胸怀，逼我热泪盈眶更佩服您了什么的，那您这功算是白做了。”

“我在你眼里怎么会是这么个形象？”马林生痛心疾首地扪心自问，“真让我欲哭无泪……”

“您相信我有起码的分辨是非的能力吧？要不您也不会让我自个管理自个。”

“我这点问题也算不上是非的‘非’吧？最多是个性格上的小弱点。”马林生有气无力地说，“谁没弱点呢？”

“我不是那意思。”马锐说，“您相信我的眼睛是雪亮的吧？”

“过去不信，现在也信了。”

“那好，您就别乔装打扮了。您干了什么没干什么，我都看在眼里了。您干了什么好事该感谢您我心里会感谢您的。您什么没干非装得跟干了什么似的让我谢您我就是嘴上千遍万遍心里倒把您看轻了……”

“是是，我也甭费这劲骗自个了。”马林生连连点头，“小马，真高兴你能对我说几句实话，要不我还在梦里呢。经过这么一折腾，我倒觉得咱们俩的心贴得更近了。”

第八章

经过整整一个夏天的苦心经营和翘首以待，电视台和街上大广告牌上醒目的提前三百天开始的倒计数终于数到了头，那个美妙的、激动人心的时刻已经降临了。

开幕式的下午，全市都放了假，好让大家从容地坐在自己家里分享、参与这一时刻到来的喜悦和快乐。

马林生像小孩盼过节一样对这一时刻盼望已久了。他自己结婚时都没这么起劲过。他提前好几天就和儿子算计着买这买那，决心要像真的过节一样以大吃大喝配合着看电视来庆贺、度过这一良宵。

就在他把那些家禽家畜宰好、洗净、按部位切割整齐并已经下了锅连烧带炖基本都弄熟了，就等着红口白牙去撕咬之际，夏经平给他送来一张能亲临现场的开幕式票。

夏经平本来也是不想放过这个机会的，能亲眼一睹这一百年不遇的空前盛况也是人生一大快事。何况那票好几百块呢（当然不是夏经平自己掏腰包买的）！但只有一张票，他那个到哪儿都要和他同出同入的老婆便不批准他去，非要他留下来陪她一起在电视上找闺女。他反抗过咆哮过最后终于低头了。为了不耽误票，他忍痛把票送给了马林生。一再叮嘱：

“你可一定去，别把票废了，好几百块呢！”

马林生得了票就紧紧攥在手里，不给马锐看见，抽冷子藏进贴身小衣的口袋里，然后就梳洗更衣。

马锐听见动静觉着蹊跷过来一针见血地问：“你是不是有一张开幕式的票？”

“没有。”马林生打马虎眼，意欲脱身，“我出去有点事儿，一会儿回来。”

马锐冷笑，“你甭蒙我，我听见夏叔叔给你送票了。你是不是该发扬风格？”

“我真的，”马林生赔着笑央求，“——这回你就让我吧！”

“我什么事不让着你？该你让我一回了吧？”马锐振振有词地说，“起码也得公平交易。”

“这张票是夏经平给我的。”马林生一梗脖子。

“是给咱们家的！没具体说给谁。”马锐毫不畏缩。

“我先拿到的。”

“你要这么说，那咱们今后没法共事了。”

“那……今天的碗全等我回来洗。”

“你当我跟你买菜呢讨价还价？”

“那你说怎么个公平法？”马林生问。

“看谁能坚持不眨眼，谁先眨谁输。”儿子提议。

“不成！我老眼哪比得了你小眼瞪得圆？”

“看谁能一只脚站得时间长？”

“你净说猴儿干的事。我还说掰手腕子呢。”

“那猜拳吧。”马锐无可奈何地说，“只好这样了。”

“瓶钉壳！”父子二人同声念着，一齐出掌。

马锐的“剪子”绞了马林生的“布”。

“三局两胜。”马林生立即宣布。

“记住，我又让你一回。”马锐说着再次举拳。

“瓶钉壳！”

接下来的两局，马林生反败为胜，一局“锤子”砸了儿子的“剪子”，一局“布”包了儿子的“锤子”。

“赖赢的。”马锐悻悻地说，“你也就会跟我斗智。”

“这你不能说不公平吧？”马林生十分得意兴冲冲地推出自行车，飞身而去，唱着，“我们亚洲……”

“跟孩子似的。”马锐望着空荡荡的门口，嘟哝，“美得屁颠屁颠的。”

马林生飞车刚骑上大街，就发现今天城里的气氛异样：各条主要的大街和交通干道上行人稀少，平时川流不息的大小汽车今天也看不见几辆。穿白制服的交通警一反往常地从岗楼和指挥台下来，沿大街中轴的黄色分隔线排列站立，像卢沟桥头的汉白玉狮子一样，个个虎虎有生气等距延伸至无穷远；马路两旁的树荫下，戴大盖帽扎武装带的武警列兵以同样的间隔面向马路立正站着一眼望不到头。他们显然比交通警受过更良好、更严格的立姿训练，一个个站得棍一般笔直，一张张年轻朴实晒得黑黝黝红扑扑的脸膛，使他们既像交公粮路上的一排排挺拔的小白杨，又像秋天田野里的一株株红高粱。

接近举行开幕式的中心体育场的路段时他才略微轻松了一些。这儿更具有节日气氛，虽然仍看不到什么行人，但路边的建筑上插满了彩旗，很多高楼的窗户里悬垂下长幅彩带，上面写着情绪热烈的贺词和口号，一些挂着标语的花龙风筝和气球飘荡在空中，道旁的鲜花可用堆积如山来形容。马路上开始有了车辆，一辆辆要人乘坐的挂着窗帘的小轿车和载满衣着花哨的海外中国人的大型豪华房车从他身边飞驶而过。他看到那些坐在车内的太太小姐们露着浓妆艳抹的脸往车窗外张望。这些生活在亚热带地区的黄种女人面相是那么惊人的一致：上点岁数的太太们无一不是胖得像企鹅，而小姐们则瘦得像根黄瓜，小脸上不是长满疙瘩就是架着一副漫画般的大眼镜，当她们看向某处时总是先把阳光反射到那个地方。至于那些先生们，往往都有一副杂货店老板兼日本大臣的混合脸形。

越往前走警察越密集，几乎可以说到了三步一岗、五步一哨的程度，甚至出现了正规军士兵和民兵组成的警戒线。从路旁停放的大批警车和军车五花八门的牌照看，几乎所有对公共秩序负有维持职责的部门都出动了。

在他已经遥遥看到了那座巨大的体育场，并听到了从那座体育场敞口的上空传出来的近十万人低语交织、汇聚成的犹如一座巨大蜂房般的嗡嗡声，他被一个手执步话机的警察拦了下来。

“你干吗？去哪儿？”

“参加开幕式。”他掏出那张粉红色的票，连同他的居民身份证一同递过去。

警察仔细查看了他的证件和票之后，对他说：“为什么不坐车？”

“我……没车。”马林生一下便感到有些心虚，似乎他承认没车连观看开幕式的资格也失去了。

“按规定观看开幕式必须集体乘车……”

“我没赶上单位的车，有事耽误了……”马林生在这里小小地撒了个谎。

“另外还要求观看开幕式者必须提前一小时入场完毕，过了这一小时我们就不能往里放人了，现在已经过了一刻钟。”警察把他手上的表指给马林生看。

“可是……”

“这些规定都在票后面印着呢，你应该知道。”

“可是我确实是因为有事，我……”马林生还未来得及编出一个说得过去的借口，那位警察便微笑着打断了他。

“什么事能比观看开幕式重要？”

“是啊……”马林生本想说他是因参加了一个和外商的重要谈判耽误了，这种事如今谁都认为十二分重要，可瞧瞧自己这德行，像是有机会和洋人坐在一起喝喝咖啡谈谈共同关心的问题的人吗？说出来连自己都不信。

其他的呢？孩子病了丈人死了家里房子着火了……这些借口倒都是现成的，可会不会太过分了？人家会不会反问他：既然这样你还有心来看热闹？

这个警察倒像个善良人，也许正是因为这个警察的年轻和他脸上那纯粹是因为年轻不由自主地流露的无缘无故的微笑鼓励了马林生，使他产生了和警察商量商量的希望。

他弄出一脸谦卑的笑容，柔声细气地说：

“您瞧，我好不容易搞到一张票，多难得呀这种场合，您就照顾照顾我，让我进去得了。”

“不行。”警察笑嘻嘻地说，“我们这儿都有规定，谁也不能违犯。”

“可我不是没票，我这不是有票嘛，您放了我也说得过去。”

“你那儿说得过去，头儿那儿可说不过去了。这儿又不是我一个人，你瞧，我们头儿就在那边站着呢，回头我放了你，他该找我麻烦了。”

“他没往这边看，他注意不到这儿，我过去贴边儿走。”

“不行。”年轻警察笑着摇头，“就算我放了你，你也进不去，里边还有好多层岗呢，他们也不会放你。”

“您先让我过了您这一关，到了里边我再一层一层地跟他们解释。”

“不成。”年轻警察只是摇头，态度温和但又坚决，“你别跟我磨了，我不会放你过去的，趁早赶紧骑车回家还赶得上看电视。”

“我现在回家，看电视也晚了。”马林生愁眉苦脸地说，“我家远，回去也看不上头了。”

“那你还能看半截儿，我们呢？压根儿从头到尾一点也看不上，我们怨谁了？”

你们不能有票不让人进！马林生刚想发作，又一想跟警察不能急，便把到嘴边的话咽了回去，继续一副可怜巴巴的样子，软缠下去。

“您就把我当个屁——放了吧……”

这时，一辆高级小汽车驶来，毫不减速地从他们身边穿过，年轻警察忙把马林生拉到一边。

“你别在这儿站着了，妨碍我们执勤。”

“你跟他废那么多话干吗？”一个高大粗壮和那小伙子同样年轻的警察大步从一边走过来，横眉立目地对马林生说：“不让进就是不让进！少在这儿泡蘑菇，泡也没用！赶紧走——听见没有？”

他伸着胳膊指着远远的大街，“你走不走？”

马林生看着这个高出他半头的警察，不吭声。

“你看我干吗？不想走了是不是？”高个警察上前作势要锁自

行车，“不走可以！”

马林生低头推车往外走。

“你想过去，去找我们头儿说去，”那个年轻警察隔着高个警察对马林生说，“看他同意不同意。跟我们说没用，我们只知道执行规定。”

马林生几乎是感激地看了一眼那位年轻的警察，点点头，推着车去找现场负责的警察头儿。

由于民警尚未实行警衔制，他在辨别几个老警察中谁的官职最大时发生了一点困难。那几个站在一起的警官年龄大致相当，发福程度也差不多，而脸上那种一般百姓模仿都模仿不出来的威严那种大权在握的神情则几乎是一模一样。

马林生完全凭直觉，凑到一个显得对现场情况最不满意因而发令次数最多对周围其他警察最不客气的气鼓鼓的老警官面前。

“请问，您是管这一片……交通的吗？”

“有什么事？”那双严厉的眼睛直刺马林生。

“我……我想问问我现在……还能过去吗？我有票我有事晚了没赶上车……”马林生紧张地结结巴巴地诉说，同时飞快地把票和身份证拿出来，呈送给这位警官。

那双眼睛在票和身份证上停留片刻，那双手把票和身份证又翻过来掉过去掂了掂，剑锋般的目光又落到马林生身上。

“你这票是哪儿来的？谁给你的？”

马林生立刻浑身冒汗，“单……单位发的。”

“哪个单位？你是哪个单位的？”

“我……”马林生支吾着，他不是不知道夏经平的单位，但他本能地产生了防范心理，本能地感到如果如实说了也许会给夏经平找麻烦，票上印着的注意事项里赫然醒目的最后一条就是：

严禁私自把票转送他人！

“算了，我不看了。”他低头垂眼从警官手里拿回身份证和票，转身推车想要离开。他尽量使自己的动作从容大方，表情坦荡平和，不至于被误会成一个试图蒙混过关的别有用心的可疑分子。

他缓缓地推车走了几步，然后再骗腿儿骑上去，目不斜视地笔直向前骑去。

除了那架一开始就在体育场上空盘旋的直升飞机，天空又出现了几架飞机。这些飞机飞越体育场上空时投下了一组组黑点般的人影。这些黑点在空中迅速坠落拉开距离，接着一朵朵五颜六色的伞花在碧空中绽开了。一顶顶降落伞在跳伞运动员的操纵下在空中组成一个个图案，不停地变化，重新纠集，最后，分崩离析，依次向体育场内飘落而去——开幕式的表演项目已经开始。

飞机不停地飞来飞去，不停地投伞，天空始终有不同队形，不同人数的跳伞运动员在降落。

马林生几乎围着巨大的体育场绕了一圈，他朝不同方向的通往体育场的大路小道都试探过了，甚至试图从楼群中插过去，但白费劲！所有路口包括楼群间的小路都被封锁了。每当他看到体育场高大、倾斜的弧形外壁同时也就看到了警察晃动的白色身影。

他没有勇气再上前到警察的纠察线碰碰运气。

回家的路愈发显得漫长，马林生又饿又累，精神沮丧，自行车的轮胎也有点没气了。路上，有几次他都感到快蹬不动了，只是一想家里还有顿美餐在等着他才稍稍振作一些，这信念支持着他骑完了全程。

胡同里家家的电视机都开到最大音量，开幕式正进行到高潮，欢呼声、音乐声从无数台电视机里涌出来，在街道、胡同空寂无人的堵堵墙壁间回荡，形成一片四面八方都在共鸣的声浪，使人感到这种热闹和难以抑制的兴奋无处不在，无论你走得多远多偏僻它都会追上你或蓦然横在你面前。

马林生不能不受到这种成千上万台电视机都在强调的欢快情绪的感染。

他一路在笑，不知不觉地咧着嘴，甚至自己都没发现自己在笑，如同人们看见某个逗人的相声演员情不自禁露出愉悦。

热烈、嘈杂如劲风灌耳的声浪，使他进了院来到自家门前都没发现屋里正在发生的真正的喧哗与骚动。

他喜气洋洋地进了屋，刚迈过门槛就怔住了。

他看见一大堆跟儿子年龄相仿的男孩子在大吃大喝，又笑又叫，互相打闹。好几个男孩包括儿子显然都喝多了，脸红得像猴腚眼睛布满血丝，几乎所有男孩子嘴上和手上都叼着或夹着正在冒烟的香烟。

桌上的杯盘狼藉，他辛辛苦苦宰杀、煮熟的小动物们都只剩了森森白骨，像解剖标本一样完整、干净、轮廓宛然。

屋里的人看到他都呆了，倏地安静下来。

“你……你怎么回来了？”儿子叼着烟卷像个二流子似的晃晃悠悠走到他面前短着舌头问道，“你不看……开幕式了？”

“嗯，我车在路上坏了，又叫不着出租车。”他把路上想好的托词说给儿子听。

“那真可惜，你怎么这么倒霉！——多好看的开幕式呀！”儿子迷迷糊糊地把头猛地向电视屏幕那儿一甩。

屏幕上正是几百个穿着小裤衩小背心赤膊的小鬼在叠罗汉，背景台上是金光闪闪的天安门。

“看见夏青了吗？”他问。

“还没轮到她呢。我看就是她出场了，这么人山人海的也找不着她，哪显得出来呀！”

马锐走回桌旁坐下，招呼他那些懵懵懂懂的同学，“接着吃呀、喝呀、没事！”

“是啊，你们接着玩吧。”马林生也落落大方地对小朋友说，“别我来了都不敢吭声了。”

他走到桌前，找了一个看上去还算干净的杯子，给自己倒了杯啤酒，看了看四周，实在再也找不出一张空椅子，便站着看着电视一口口喝酒。

“您坐我的椅子。”一个男孩把座椅让给他，自己到一边靠墙站着。

“别别，你坐你的。”马林生边说边坐下。坐下就想吃点什么了，拣了双筷子在桌上的残羹剩汤里拨拉。这帮小混蛋确实吃得干净，凭他再有经验也找不出什么像样、成形的东西，只好胡乱夹些碎渣儿放进嘴里，咂摸咂摸，口感冰凉，真是没滋没味儿。

他只好放下筷子去喝同样冰凉的酒。

“嗬，真好看啊！”他给自己助着兴，看着电视。用一副与民同乐的平易近人的口气对那帮孩子说，“我长这么大也没见过这场面呢，你们这么点儿就赶上了——高兴吧？”

“高兴。”孩子们一个个冲他点头哈腰地假笑，同声附和，就像一群经过训练的小马屁精被谁统一过口径。

“你们觉得这开幕式怎么样？我刚看还没发言权，比上回洛杉矶那奥运会怎么样？”

“强，强多了！”

“比前俩月那世界杯足球赛呢？”

“那——没法比！”

“咱们那前边举木牌的引导小姐一个个长得怎么样？飒吗？”

“飒极了，都跟模特儿似的！”

“我想就错不了。咱们这么大国家，真使劲拨拉，过筛，还能没好的？真遗憾没看到。”

“没事没事，还重播呢。”孩子们安慰他。

“德行！”电视镜头转到看台上，一帮不知是哪个邻邦的观光客在美滋滋地观看、拍照，马林生骂了一句。

“国家领导人都谁来了？”

“都来了，没细数。”孩子们回答，“我们都看傻了。”

“重视啊。”马林生一杯接一杯地灌酒、欣赏着，评论着。他的注意力被数百名新入场的穿得很少的女大学生吸引住了，暂时没话，待看了个够后，又欢眉喜眼地开了口。

“冷不冷啊穿这么少。那料子是尼龙的吗？”

“不懂。”孩子们摇头。

“舞跳得不错，歌儿不好听，应该用《我们的田野》。”

一群男表演者出场，在草坪做着相当于最好的胡同队水平的体操表演。

“李宁呢？李宁怎么不出来？应该给他在中间搭个大台子托马斯全旋。”

马林生嚷嚷道，思路转到离他最近的一个孩子身上。

“你叫什么名字？你爸是谁？是住我们这条胡同吗？”

那孩子告诉了他自己的名字和他爸的名字，说了自己住哪儿。

“不熟。”马林生认真地回忆了一会儿，摇头，“不认识这个人。噢，你是住楼啊。那好那好，住楼好，用水方便，几居室啊？”

“爸，”马锐冲他招手，“你过来，我跟你说句话。”

“什么话呀？还背着小哥们儿。”马林生咯咯笑着，端着酒杯走过去，歪头把耳朵伸过去，“你说吧，这就叫咬耳朵吧？”说完自己笑起来，挺为自己的俏皮得意。

“您是不是喝多了？”

“没有没有。”马林生立刻申明，一本正经地严肃下来，“我不过是跟你们逗逗。”

“我跟你说，爸，”儿子一副商量的口吻，“今儿等于过节，外面肯定热闹，灯也全开了，马路上又有花儿，备不住花丛里还有走马灯电动狗熊什么的。我给您把照相机装上卷儿，您出去照两张，溜达溜达……”

“不去！我刚从外边回来。”马林生头摇得像拨浪鼓，“街上你说的那些玩意儿倒都有，可就是没人，都在家看电视。我一个人逛有什么意思？怪瘆得慌的。”

“没人才清静呢，平时你不是老嫌人多？你这么大人还害怕？我是有客，没客我都想出去转转。

“我还没看完开幕式呢，起码让我看完，然后咱们一起出去。”马林生回头看那帮孩子，“他们还能不走？打算在这儿待一晚上？”

“马锐，我们走了。”一个孩子率先站起来，其他孩子也纷纷起立，“你别轰你爸了。我们走，回家看去，留你和你爸在这儿好好看。”

“别，你们别动。”马锐索性直截了当地对爸爸说，“你瞧，你一来别人都要走。有您在他们都感到拘束。您是不是……您要不爱上街，是不是能到夏叔叔家看电视？让我们这儿善始善终？”

“嫌我多余了？是不是我说的话你们都不爱听？我没说什么呀！”

“不是。”马锐诚心诚意地解释，“我们这儿都是小孩儿，您一个大人掺在里头，您就一声不言语我们也觉别扭，就像您一帮大人说话掺进来个小孩儿……”

“好好，我这就回避。”马林生低着头小声儿地说，“我马上走。”

他去穿厚一点的长袖衣服，刚才回来的路上已经感到有些凉了。

“马锐，还是让你爸留下吧。”一个孩子说，“我们走。”

“别别，还是让他走。”马锐看着父亲出门，对他说，“谢谢你啊。”

马林生微笑着点点头。

外面天已经黑了，果然有些凉意。街上倒是一派节日景象，所有高大建筑物都挂了成串的灯，路边的花坛、树上也吊了彩灯，交相辉映，墨蓝天幕上的星星倒显得黯淡，明明灭灭的看不大清晰。时近中秋，月亮很好，很大很透明，只是还不那么浑圆，有些扁，像个消瘦的朝鲜姑娘的脸。

马林生没有去夏经平家，直接就来到了街上。连儿子都嫌自己多余何况别人？他还没堕落到那种给人家添了恶心自己却浑然不知反以为得趣的下作地步。他只是有些委屈，觉得自己还是诚心诚意地想和孩子们打成一片，为什么他们就不能认同、接纳他呢？他们有什么好紧张的？他使用的都是他们所熟悉的语言，包括他们常用的俚语，就像孙敬修老爷爷给小朋友们讲故事经常干的那样。他们为什么没像小朋友迷孙爷爷一样被他迷住？凉风拂来，他的酒劲儿涌上来，头脑也有些昏昏然。他想起刚才在孩子们面前说过的话作出的那副神态，自个也脸红了，那真是一副丑态！太有失他的风度，有损他的形象了，想想都觉得恶心！他真的站在路边弯腰呕吐起来，吐出来的都是发酵变酸的啤酒，一股酸腥直冲脑门，刺激得他连连打战鼻涕也清汤似的流了出来。他身上没带手绢，只好用手掌胡乱抹了几把，然后再把手掌的津液在旁边的树干上擦干。他擤着鼻子往地上啐着混浊的唾液，眼泪汪汪地直起腰喘息着张望。好在街上没什么人，谁也没有注意他，只有不远处一个花坛中，一座用铁架、木料搭置外面包栽着绿茵茵的草皮的长城城门下，有一个声控熊猫在悦耳的铃声中双腿并拢沿着轨道滑行，进进出出，停下来机械迟缓地招招手，扭头又转。

他快步离开吐脏、糟蹋了的草地。吐后他好受了点，脑袋也不那么晕了。他感到更加空虚，同时陷入了一种深深的迷惘，他不知今后该怎么对待孩子，是拿他当个大人还是使自己更像个孩子？

迎面过来三个挎着冲锋枪的武警巡逻小组，他和他们慢慢走近，擦肩而过。他意识到自己的心情过于颓丧了，和今天这个节日的气氛有些不谐调。他克制了自己的烦闷，想换点开心的事走走脑子，可一时竟想不起有什么现时发生的令人高兴的事。能够想起来的使他隐隐感到有意思的事都是若干年前的事，甚至能勾起他回忆的人也都是活跃在很多年前的旧形象。他这些年都干吗了？似乎是一片空白，生活的水流在很远的过去便停滞、干涸了，延伸过来一直通向今天的记忆只是一条死气沉沉布满乱石的河床。

前方街心花园里出现一座彩灯熠熠、音乐阵阵的大型喷水池，无数的水柱在灯光下雪亮耀眼的齐刷刷地腾空而起，错落有致地降下，合着音乐的节奏并随着音乐情绪的转换变幻着色彩。喷水池前站着一群人，呆呆地观看喷水，有老人、单身男人和情侣。他们的脸显得木然略带几分惊愕，与活泼的音乐和不停变幻色彩的水柱恰成对比。

马林生站在路边的一个警察身边观看，他们俩都毫无表情，脸被灯光映得一会儿红一会儿绿，有种霓虹效果。

第九章

马林生在阳光下和儿子打羽毛球。天蓝得清澈，白色的羽毛球飞过来时，羽翼瞬间便会被阳光照透，像颗照明弹似的闪烁出夺目的光芒。天空有些风，羽毛球顺风时便会像子弹一样飞得又快又狠，令人猝不及防；逆风球则晃晃悠悠甚至像中了弹的鸟从半空直线落下。

马林生逆风迎光，打得有些气喘吁吁。

他奋力抽杀，球拍挥舞得嗖嗖生响，但他还是被儿子一步步向后赶去。儿子顺风打过来的球总是飞越他站立的位置，使他不得不后退仰身接球，他们已经从一开始站的家门口的位置快打出胡同了。

儿子的一记抽杀，使马林生急速退后也未能接起来。球落到地上，马林生汗水淋淋地走过去，用球拍一抄将球盛上拍网捡起来，这个捡球动作很有专业选手的风度。

他不满地说：“你小点劲儿，仗着你顺风？净捡球了。”

“咱们这不是记比分的吗？”马锐说，“我怎么让你？”

“那咱俩换个方向，我顺风抽你。”

“上一局不是你顺风？我也没说什么，你也不能老顺风。”

“刚才风没现在大。”马林生争辩，“我这儿除了逆风还逆光，眼睛都快晃瞎了——这球不算！”

“好好，我使小点劲儿。”马锐妥协，“你快发球吧。”

“几比几了？”

“7∶2，我赢你五分。”

马林生用力发了个抛抽球，可球飞过来仍是轻飘飘的没一点威力，马锐从容地只用六分力将球抽了回来。

球直奔马林生小腹，马林生措手不及用拍作了个贴裆拨挡动作，可球还是落地了。

“这球不算！”他气急败坏地说，“告你小点劲儿小点劲儿……”

“我根本就没用劲儿。”马锐说，“干吗不算？”

“我根本就来不及接。”

“那是技术问题，你本来就不会接这种下三路球。”

“我玩羽毛球的时候你还不知道在哪儿呢。”

“别赖，把球给我，该我发球了。”

“这球不算，还是我发球。”马林生举起拍子拎球欲发前腿弓后腿蹬。

“老马，你要这样儿，发过球来我可不接。”马锐警告父亲。

“你不接那是你的事。”马林生嘴里说着，依然把球发过来。

球没人接落到地上。

马林生宣布：“7∶3！”

“你赖不赖呀？”马锐嗤之以鼻。

马林生跑过来捡起球又跑回去，弯腰执拍拎球前腿弓后腿蹬。

“这球你还不接？”

“不接！”

马林生又把球发过来，大声宣布，“7∶4！还差三分。”

马锐也气了，捡起球一个大力扣杀抽过去，大喊：“8∶2！”

于是两个人就开始互相大力发球，各自报着截然相反的比分，一边打一边激烈地互相指责。

“9∶2！你赖不赖呀？”

“7∶7！我不赖！”

“你这么赢了光彩吗？”

“你先赖的！”

“玩不起就别玩，你是输急了吧？”

“我才没急呢，我也没输——10∶7！”

两个人差不多是在同时宣布赢了对方，都举拍欢呼起来，一个比一个声高，试图盖过对方，并在欢呼声中夹杂着对对方的奚落。

“我赢喽！我赢喽！真臭！顺风还输球，算是臭到家了！”

“赖都没赖赢，真现！”

“还敢玩吗？我让你五个球，你真不是我对手。”

“我用脚拿拍子跟你打一盘吧？跟这种比较差的人打球真让我水平下降。”

两人是越说越来气儿，毕竟马林生是老姜，刻薄话说得是又多又快不带重样儿的。马锐渐渐有些说不过，也是带气儿，嚷嚷着再打一盘，抛球用力抽了过去。

马林生正说得来劲儿，连损带挖苦，脸上的表情一会儿微笑一会儿鄙夷，完全没防备，看球来了非但没接没躲，反而仰起了脸。

那球借助风力飞得十分迅速、有力，不偏不斜正击中马林生的右眼角。

他“哎哟”一声，忙用手捂住右眼，半天没动也没吭声。接着，他抬起脸，用唯一的一只眼睛盯着马锐，说话的口气也变了。

“给你脸了是不是？”

“不是故意的。”马锐上前扳父亲捂着眼的手，“我看看打哪儿了？”

“少碰我！”马林生用力甩开儿子的手，那只露在外面的左眼目光凶狠，“对你客气点，我看你就有点不知道自己姓什么了！”

马锐自知理亏，讪讪地站在那儿，不敢做声。

马林生恨骂连声，“真他妈登鼻子上脸，得寸进尺，就欠像过去那样天天打着骂着，你才老实。你他妈这就叫贱！不识抬举！动手打起我来了——狂得你！”

马林生把拍子往地上一摔，气哼哼捂着眼睛回家了。

“怎么啦？”拎着一瓶酱油一袋味精的夏青路过，见状停下来问马锐，“你爸干吗发这么大火儿？”

“没事。”马锐低头捡起扔在地上的羽毛球拍，佯装无事地笑笑，“我打球碰着他了。”

“那也不至于呀，又不是成心。”

“打疼了呗。”马锐没精打采地扛着两副球拍往家走。

马林生在家里凑着墙上的镜子察看眼角的伤势，他龇牙咧嘴，把眼皮又拉又拽，使右眼忽而瞪若铃铛，忽而乜斜似盲。伤势其实不重，球打在较坚硬的眉骨，只在弹着点附近有些红肿和紫淤，并没危及眼部，至关重要的眼球可说是安然无恙。可他还是气愤难消。

“我要瞎了找你算账！”他对刚进屋的儿子恫吓说。

他找块毛巾用热水浸泡后热敷在眼上，在躺椅上仰面朝天地躺下，像在理发馆等着刮脸。他舒服地哼哼着，长吁短叹，夸大着自己的痛苦。

“要不要找医生涂点药？”犯了过失的马锐在一边怯生生地问。

“去去，一边去，我现在不想看见你。”

马锐悄没声地离去。

马林生闭着眼躺着，一只眼沉甸甸热乎乎漆黑一团，一只眼被阳光照得满目橙红不时跳跃着水泡般的成串光斑，眼皮像痒了似的不住哆嗦。他近来的心情一直不好，从那个踯躅街头的节日之夜起，他就产生了并总也无法打消被人抛弃的惨淡心境。他觉察到生活重心的倾斜、不平衡。他过于依赖儿子了，甚至超过了儿子对他的依赖。儿子有自己的朋友和其他生活内容，而他除了儿子几乎再没有其他的生活乐趣。自从儿子嘲笑过他每晚痴坐的嗜好后，每到夜晚他都不好意思再那么干了，就是勉强照老习惯老规矩坐上片刻，也是心神不定，总觉得背后有一双充满讥讽的眼睛在盯着他，再也没法无忧无虑地进行天马行空般的幻想了。他只好跟儿子一起看电视，从《新闻联播》前半小时的少儿节目开始，一直看到所有频道都再了见画面彻底消失出现“雪花”为止。他原来只觉得中国的电影拍得愚蠢、幼稚，现在才发现那些电视台播出的电视剧比电影实在是有过之而无不及。每当他被那些拙劣的噱头强迫着笑起来时，总觉得自己的智力被降低了。如此贫乏的想象力和机械、不合情理的情节安排使人都怀疑这是不是一个活生生的人写的，为什么连对生活的起码洞察力都不具备？他不知道问题出在哪个环节，他只感到深深的忧虑：这种电视节目让外国人看了他们怎么能认为中华民族是充满聪明才智的？他颇为赞同电视台采取的在他看来是唯一聪明的办法：多播一些拙劣程度能和国产片媲美的外国连续剧（港台片自然是左右逢源）。

有时电视实在没法看，拙劣都维持不住，简直是恶劣了，他也和儿子及儿子的朋友打打扑克。尽管玩得都比较简单又不赌，他还是感到相当大的压力。他发现任何一个小家伙在打扑克这件事上都比他要狡黠通灵一些。虽然他每次全神贯注全力以赴，但总是输。他永远摸不准牌在另外三个人手里的分布并把握不住出牌的时机，每次冒险都遭受到准确的痛击，每次谨慎又往往坐失良机。他虚心地接受同伙的批评和指点，每次犯了错误都认真地检讨和总结，但当类似情形再次出现，他依照上次的教训采用了同伙告诉他的正确出法出牌，偏偏又遇到了特殊的第二种变化，正好落入陷阱功败垂成——他完全没有在存在两种以上的可能变化的情形下作出正确判断的能力。

他试图用“这是游戏，并没认真对待也用不着认真对待”的表面轻松和无所谓来掩饰，但与他同玩的孩子们都对这一事实真相看得很明白，他们自然而然地把他划入了和女孩子同等智力的那一档。每当分伙时，为了公平，总是由马锐和另一个男孩分头与他和夏青结对，而且越来越明显，那些精通此道的男孩子宁肯跟夏青一家也不愿要他。

别人家的孩子当他出错时往往不好说什么，只是面露不快，最多轻描淡写地埋怨几句，传授一下真谛，而且随后便会表示宽宏大量不计前嫌，鼓励他从失败中爬起来。

马锐对他就不像别的孩子那么客气。常常对他的笨拙大光其火，不留情面地激烈指责他，特别是当得来不易的大好局面被他一举断送时尤甚。这种指责已经渐渐发展到对他这个人的全面智力水平的怀疑。

要在以往，按马林生的脾气他是不吃这个的。但现在，尽管他有时感到很难堪很生气——谁受得了一个孩子用这种口气对自己说话？成年人之间还经常因此玩急了呢——摔牌站起来，面红耳赤地大声说："不玩了！从今往后我要再跟你们玩我是孙子！"

话说得是十二分坚决，斩钉截铁，态度也是毅然决然，大有誓不回头之气概，甚至有时还撕牌撵人像烟鬼戒烟一样把事做得挺绝。但没过多久，他又会一边洗着一副新扑克一边笑眯眯地对儿子说：

"去找几个人来玩牌呀。"

他心里其实是真不想玩，但也真是没事干，不玩干什么去呢？夏天的夜晚是那么漫长。

他看着手里捏着的不同花色的扑克牌，经常人在牌桌思想走神儿，大脑一片空白，直到别人吆喝才赶忙出牌。一个中年人，每天要靠和孩子们打扑克来消磨时光，还要忍受孩子们的奚落，他觉出自己的可悲和无奈。尽管他比谁都玩得起劲，比谁都能熬夜坚持，但其实他从打扑克这种娱乐中很少体会到乐趣——哪怕是摸了一手好牌。

后来，他这种可怜的业余生活也被剥夺了。孩子们对他终于忍无可忍，采取了一个名正言顺的借口不带他玩了：干脆不再去他家打扑克。

他曾涎着脸硬赖着跟着马锐到他们新的聚会点，另一个孩子家去玩过几次。每次都发现孩子们人手已够，而且那家大人见他如此热衷孩子们的玩意儿看他时的那种异样的眼光也令他极不自在，终于失去了再去的勇气。

他真闲下来了，闲得发慌，闲得整夜整夜失眠，人都闲得憔悴了。

每当马锐晚上玩完回来，都会看到他坐在黑暗里，旁边开着电视，并不去看，茫然地盯着前方虚无的某点。一见儿子回来，就呈现出极度的兴奋和躁动。手脚不停心甘情愿地为儿子睡前的准备充役，速度又快又不连贯地和儿子没完没了地说话。常常是一迭声地发问同时又一连串地汇报见闻，一个话题没完又跳到另一个话题上，内容支离破碎东拉西扯且多重复，儿子无话可说或不愿回答他那些琐碎、明显荒谬的问题他就自言自语，直到关灯躺在了床上他兀自唠叨不休夹杂着咯咯痴笑。

他想方设法把儿子留在家里，找出各种理由包括装病不让儿子晚上出去。

他装病装的是那么逼真，有计划有步骤。晚饭前他就先开始制造气氛，病恹恹的。没精打采地坐在小板凳上不动，只把眼睛瞟来瞟去，头半耷拉着似乎脖子的筋被抽了。儿子有事叫他，他的回答也是缓慢、有气无力的，哼哼唧唧像蚊子叫。

“你怎么啦？”他这种表现无法不引起儿子的注意和关心。

“没怎么。”他还有意掩饰，生怕因过于痛快地承认引起怀疑。

如果儿子追问，他还会一再否认，或者托辞说是“工作了一天累的”，脸却更努力地作出病容，伸出额头等着儿子试体温。结论应该让儿子自己作出。

如果儿子不予置理或者一下子就相信了他真是“工作累的”，仅仅让他“歇着别干活了”没有更多的表示，那也不要紧。他可以暗怀着起码逃避了劳动的快慰，懒散地坐着，一直等到开饭，然后再到饭桌上进一步铺垫。人们既然付出了劳动，就希望他人郑重对待自己的劳动成果。马锐看到他磨磨蹭蹭毫无兴趣地坐到饭桌旁，吃一口皱一下眉头欲咽又止举筷踌躇，必然不能无动于衷，必然要问他怎么不爱吃，是不是饭做得不好或是什么放多了什么煮的时间不够。

他也一定会回答不是的，饭做得很好一切都很好都恰到好处不多不少，并微笑着猛吃几口（他并不想真的一口不吃）。然后，咀嚼着一嘴鼓囊囊地露出苦笑和倦容。

还会是什么呢？如果不是饭不好，只能是人不好了。这是个连傻瓜都能遵循的逻辑，或者说是个简单的傻瓜式的思路。

一百个人中一百个都会这么问："那么是你不舒服？"

这个时候就不能太坚持了，要像真的不舒服那样软软的欲辩无力，当然，男人是不作兴一头栽倒捂着胸口昏过去的。

接下去对方一定要问哪儿不舒服。

这个回答必然含混，过于具体容易使对方焦虑，并产生找医生的念头。像头疼、肚子疼这两种常见病，就是医生也无法鉴别。但讨厌的是说这两处疼要冒被迫服药的危险，谁家没有几片阿司匹林颠茄什么的？

最理想又最安全最令对方摸不着头脑的回答应该是：

"我哪儿都不舒服！"

为了避免进一步地刨根问底，这时就要离桌向床所在地疾步而行，尽快躺好，闭上眼，作昏沉状，这样遇到难以回答的问题便可以置之不理。

人一倒在床上，似乎病就已成既成事实，很少有人哪怕是最不信任别人的人好意思问一句："你是不是装的？"

人们，特别是亲属，只会焦急地问："要不要请医生？要不要吃点药？要不要试体温？要不要给你做点病号饭？"

对前面的三个问题可以一概拒绝，最后一个问题可以酌情处理，要是真没吃饱，想吃，可以虚弱地点点头，"一会儿吧。"

在拒绝请医生送药的同时应该对病情的严重程度作个澄清和解释，否则亲人会纠缠不休的。

"不要紧，没那么严重，我这是老毛病了，歇一会儿就好。我什么都不需要，只希望你能陪我一会儿，晚上别出去了……行吗？"

一个病人用那种恳切、伤感，甚至还有点因为自己的一时软弱而羞怯的目光望着你，同时辅以蜡黄灰暗的脸色、蓬乱的头发和颤巍巍的嘴唇，想加强效果还可以突然伸出一只在被窝里焐得滚烫的手一把抓住对方的手——谁能受得了？

何况一个孩子。

马林生这一绝招百试不爽，每次不但达到了把马锐留在家里的目的，还唤起、增强了儿子对他的感情，马锐每睹此状总是又难受又同情同时还挺感动。

父子俩度过了很多如此这般心心相印的夜晚。

后来，马锐也开始有点产生怀疑。并非马林生的演技出了破绽，依然是那么活灵活现、炉火纯青，而是发病次数太频繁了。总是在他晚上打算出门前那么突然地发生，而后又在当晚晚些时候最长不超过第二天奇迹般地没事了。一个人老是嚷嚷自己有病却又一次都不去看药也不吃，这就难免让人怀疑。

那些总是被马锐的缺席影响了聚会因而十分扫兴不耐烦的男孩儿，建议马锐给他那多病又无药可医的爸爸吃点安眠药，“让他在你出门时睡觉省得误你的事——你在家任务不也是哄他睡觉？”

马锐把这个建议郑重传达给他爸爸，发现他爸爸自此后身体逐渐健康，就是偶尔不舒服也能一个人待在家里了。

马林生昏昏欲睡，他感到右眼疼痛已经减弱，虽未完全消失但已渐渐为一种麻痹感所代替，经过热敷的患处，血流加快，肌肤膨胀，其余半张脸感觉麻木。眼上的毛巾已经毫无热气了。

日光悄移，他虽闭着眼也能感到屋里暗了下来。一股脆弱的情感蓦地袭遍他的全身，鼻腔顷刻堵塞了，如同那个五光十色的节日之夜……

当时他站在值勤警察的三轮摩托旁，目睹着充满视野的跳跃不休的彩色喷泉，像一个寻找奶嘴的婴儿急切地渴望与人亲切，向人倾诉。他用余光瞟着那个和他并肩站立魁梧、面无表情的警察，真想一把抱着他肩头，如果他能像石雕一样毫无反应的话。

为了使自己不致做出什么蠢事，他掏出一支烟叼在嘴上，一手握着打火机凑到烟前去点火。打火机铿然点燃的那穗金黄的火苗，照亮了一张含笑光洁的小脸……火苗熄灭了，那张脸也隐没了，眼前仍是哗哗喷溅的喷泉和不停闪换色彩的灯光以及那一小撮默默呆立的人。他徒劳地再次按动打火机，除了那束火苗这次他眼前什么也没有。他像祭奠似的让火苗持续地在他眼前燃烧，目光愈锐利眼前愈是漆黑一团。

他松手让火熄灭了，那个无名少女的苍白、模糊的影子在他的脑海中再次浮现，就像痒处，经过猛烈抓挠后，那感觉又在麻木中悄悄回到原处。他脑海中的少女与其说是一个眉眼俱在的视觉形象，不如说是一些俏丽的句子和形容词所引发的联想：她很恬淡……明眸皓齿……粲然一笑……概念很清楚，形象很模糊。

事实上，尽管他深深怀念，但那个少女的模样在他记忆里无可挽回地褪色，像烟圈一样无法在空气中保持形状。他只能在虚幻的场景、对话中演绎她，勾勒她，使她以一种活生生的感觉存在于他的生活之中。

他想她也一定正手插在兜里站在城里某处的喷水池前平静地欣赏——在这个夜晚。

霓虹般变幻的灯光正映照着她如同斯时斯地正映着他。她身旁或者身后一定也有警察，就像街头草坪的雕塑成为整个景致的有机组成部分。这些警察的不知疲倦使女人单身在这个城市的夜晚徘徊有了一种安全感。当另一个同样单身男人在夜色中黑魆魆地向她靠近，她不会感到威胁和恐惧，她会相当平和、镇定，至多有几分警惕地放他到互相能看得清对方脸的跟前来。

他早就在考虑第三次见面的地点，不能总是在书店。尽管他们已经很熟了——如果第二次见面是真的话——但书店毕竟是个肃穆、使人拘束的场所。在这种地方人们要是不谈书，无论谈什么都显得粗俗。总是谈书自然会使人觉得你有头脑、趣味高尚，但也很容易使人肃然起敬、自愧弗如——万一她觉得高攀不上呢？这岂不是弄巧成拙？她只拿他当个老师，心甘情愿做他的小学生。做了人家老师，他怎么能不收起那份邪念以庄重、慈祥要求自己的一言一行？况且书店内还有那么些熟悉了解他的同事逡巡着，那些娘们儿眼又尖记性又好，不会注意不到他“再三”关照这个女读者。当然他不怕，他最多是显得贱了点，色迷迷了点——一个光棍还不该色迷迷吗？除此之外还能说他什么？但毕竟影响他淋漓尽致地发挥，他的真正奇句妙语才不想让那些爱嘲笑人的、趣味低级的家伙们，让第三个人听到。

对，就是这个夜晚这个喷水池边好！万众欢腾正映衬双方形影相吊，很容易找到共同语言，并把话越说越投机。

当然她一眼认出了他。什么表情呢？既惊且喜……喜从何来？当然是正落寞惆怅意外遇知音，说曹操，曹操到。为什么她不能也像他怀念她一样思念他？这么想是不是有点强加于人的味道？没准她压根也不惆怅什么也没想就是出来转转或者就是想也是想别人。管她呢！

接下来是相视无语，然后双方两眼闪闪发光，眼泪流下来了……大孟浪太生硬！虽然一切尽在自我掌握之中任我驰骋，但多少，也要遵循些创作规律。胡来自己也没兴致了，何不直接上床？要像真的一样才有趣。何况自己一见她也不想哭了，兴致来了——光想想就已相当振奋。

马林生兴奋地往喷水池前那群人走近几步，似乎真希望在那群人，在喷水池前后左右发现她。

他们像一对常见面的老朋友那样很随便地聊起来，这次再不互相通报姓名就有些不自然了。她叫什么呢？真起个全名全姓未免煞有介事，不妨先用字母代替，就用S吧。这字母的形状也很接近她的体态。S是干什么的呢？学生？这未免有勾引少女之嫌，她住在哪儿？家里都有什么人？马林生如此散漫一想顿觉无边无际，势必陷入繁琐中，就像真的给一家人上户口找工作那么麻烦。而且，真给她组织出一个完整的家庭，他今后关于他们关系的想象又不能不有所顾忌。他再把S的父亲设计成一个不会说话的老好人恐怕也不能看着女儿和他鬼混无动于衷。另外，S每次出来约会都将需要一个合理的解释，为什么能够随叫随到，很晚不回家？

就让她是个孤儿吧！

不必多说，他们已经很了解了，他们无意互相隐瞒。由于马林生没有为S预置可供交代的背景资料，因而这段话只能略去，总之一句话，这是个无牵无挂没主儿的姑娘。想到这里马林生灵魂深处私心一闪念：可不可以是个富有的女继承人，不受夸耀的那种？很快，他就唾弃了自己的这个念头，如果不算有辱斯文也只能是痴心妄想。

轮到自己介绍情况时马林生真有点觉得自己拿不出手了，从没自轻自贱过的人这会儿也艳羡那些虚衔浮名家底殷实的人了。他把自己换到S的角度设身处地地想了想，也确实觉得自己不可爱，没什么号召力。当然，他可以一千遍一万遍地自我安慰：S就是个弱富爱贫的人！就喜欢那种什么也不是的人！真是什么真有什么——她还看不上呢！但毕竟有些气短，刹那间似乎连整个故事的基础、可信性都动摇了。他一边踱步一边剧烈地咳嗽着表情痛苦。

他根本没兴趣替自己设想那些委婉、遮遮掩掩、藏头露尾的台词。他宁肯跳过这场戏。既然她是孤儿为什么他自己不能是个外星人？跟这个世界上一切代表虚荣和势利的世俗名物毫无关系。

他只想象出了一个细致的场面：当他告诉S自己的身份、姓名，S睁着她那双可爱的眼睛，略有些顽皮（丝毫没有调侃、遗憾的意思）地对他说：

“我还一直以为你是微服私访的那本书的作者呢。”

他喜欢这个虽然并非事实但令人愉快的误会。他完全有理由让人误会，他对每本书的理解虽然不敢说在人家作者之上，起码也是各有千秋。

这个情节和那句唯一的稍嫌拗口但表达完整的台词（他坚持不肯去掉“微服私访”四个字）规划出后，他的心情好多了，已经不咳嗽了。

一个情节的展开带动着其他情节也随之展开，起伏有致地滚滚向前……

S问他为什么不在家待着吃饭做游戏，孤魂似的跑到街上来乱转。

他可以据实回答被儿子撵了出来，这既可以令人发笑也可以惹人同情。

他问她为什么也一个人在街上转，看她的年龄不可能被孩子撵出来倒像是被家长赶出来。不但巧妙地恭维了她年轻同时还自然触到了她的隐处。

S黯然神伤或坦然自若，告诉他她家里只有她一个人，实际上她出来在大街上闲逛是因为不愿意在节日之夜一个人待在家里，孤独寂寞溢于言表。

显然他不能主动提议毛遂自荐前去就伴儿，必须由S提出邀请。为什么不呢？一个单独在家害怕一个又无处可去，再合理也没有了，一点不淫荡。

他迟疑或者干脆当即答应了随便采取哪种态度，反正他接受了她的好意。他想给他们找个更舒服的窝继续这场艳遇。既然自己能够指挥一切调动一切，何苦老站在街上清谈？

S的家不远，应该是幢楼，楼房便于不引人注意地偷偷进出，房内又自成体系，适合这种不希望引起公众议论的男女幽会。

S家不要搞得很豪华，不应太脱离中国人民的生活水平，但要舒适、干净、应有尽有。譬如有啤酒、清凉饮料、咖啡和各色上等茶叶，他可以每样儿都来点。这不能算奢侈，也就是中等水准，不要一方面承认生活水平提高了一方面想起老百姓日常解渴就以为是拿个大茶缸子足灌。

听说他没吃饭，S给他拿出月饼或用面包片夹火腿抹蛋黄酱做了几个三明治，虽然他更想来碗红烧肉大米饭，但也凑合了。可以申请下碗挂面，这样既不逾礼又显得亲热，拿自己不当外人。

对了，还有更好的办法可以既不亏待肚子又更富于情调。这个情节应重新安排为：S早已做好一桌盛宴，但自己没情绪吃，一扔筷子跑出来了。他一去正赶上了，那桌菜几乎原封未动，只需要热一下……

他们相对而坐，开始享用这顿美餐，味道好极了。当然还有酒，菜这么好都可以适当喝些白酒，酒后吐真言嘛，借着酒盖脸，很多平常说不出口说出臊得慌的话讲出来也不脸红了。

互诉衷肠自然要从互道经历入手，那样双方才能有感而发，不至于光放空炮。

她应该换一件睡袍来听他讲话。

他说什么呢？这一点无须细想，他有一肚子苦水要倒，从小到大，从过去到现在到未来，他想说的话太多了，根本不用打腹稿，完全可以脱口而出，出口成章。

她无疑要受到感动，就像马林生被自己那些要说未说的话已经感动了一样。

她不应过于话多，喋喋不休的女人不会让人喜欢。另外，一个女人对一个才认识了没两分钟的男人就立刻把自己的一切和盘托出，这也太不稳重了。更重要的是他不希望S是个老油条。如果她像他一样经历坎坷，阅世丰富，那……马林生的痛苦就要逊色很多，就没了那种震撼人心的力量！

她还是应该单纯，仅仅因为是孤儿才略显得早熟，才略显得有点伤感、落落寡合，愿意和他这种中年人相处，噢，她渴望父亲般的关怀……

如果是这样，我这么一个劲儿向她倒苦水合适吗？马林生不禁又有些疑惑。我是不是应该表现得坚强一些？给她一种找了个靠山的感觉？马林生当真有些举棋不定了，关键是她是个什么人？接着，马林生被突然蹦进脑子里的一个念头吓坏了：经过这么一通又吃又喝互启心扉，她会不会留我跟她睡？

“太可耻了！”马林生生气地对自己嚷，她还是个孩子，怎么可以这样想她？我又怎么能下得去手？我完全是光明磊落地到她家去的，想的仅仅是吃点喝点找个人说说话。要是真像我想的……不！要是真的对我发出那样的邀请，那我就要鄙弃她，批评她，拂袖而去……怎么可以！

马林生真的很生自己的气，非常非常生气，但那个念头一旦产生，就再也赶不走了，总是反复出现在他的脑子里，有力地牵扯着他，他不由自主沿着思维的惯性往下想：又有什么不可以……

灯灭了。

音乐也停了。刚才那座明亮喧闹的华丽的喷水池一下从他眼前消失，就像火堆被一盆水倏地浇灭，周围只剩下黑糊糊的树丛和空无一人的马路以及孤单单的月亮。

那个值勤的警察也不知何时开着摩托下岗了。

已经很晚了，马林生拖着沉重的脚步回家，在自家院门口看到那群孩子像大人一样互相握手告别，大声再见。

第十章

马林生脱得赤条条的摇摇摆摆穿堂而过，右眼角上那块显眼的青淤使他看上去带有几分剽悍。

一大池热水冒着缕缕蒸汽在水面上形成一团团令人窒息的热雾，四周正在喷洒热水的莲蓬头也大量释放着热蒸汽，使整个浴池间雾气缭绕，人体绰约。

马林生下到滚烫的池水里浸泡，水还算干净，透明度良好，只是不那么轻柔若无了，看上去摸上去都有些沉甸甸的质感，像匹好缎子。

马锐在马林生头侧踩下了一只赤裸的脚丫，接着他像条鱼似的哧溜一下整个身子滑入热水，怕冷似的抱着双肩烫得龇牙咧嘴。他的细手腕上套着松紧带系着的衣柜钥匙，银色的金属光泽在雾蒙蒙的水面闪烁。

他的入水带来了水面的一阵摇晃荡动，水波纹向四处漾开。

水面上还散落着几颗苍老的头颅，大家伸着脖子把头露出水面，互相瞟来瞟去，就像一群刚从不同方向游来在同一个池塘露出水面的水獭在表示惊诧。

“下个星期天，我们学校组织去八大处游山，允许带家长，你去吗？”

“不去！”

“他们让我叫你今晚一起去玩牌呢。”

“告诉他们，我没空。”马林生心中冷笑不止，对儿子施展的拙劣的笼络手段极为蔑视，把老子当成什么啦？

他轻轻地用两肘撑住瓷砖台阶，让身子在水中浮起来，两条腿飘荡着，体毛像一丛水草来回倒伏，他感到一种随波逐流、不计归处的慵倦和轻松。

“你是不是生我气了？”马锐赔着小心问。

他置之不理，继续把自己轻浮的双腿像鱼尾巴那样甩来甩去，制造波澜，玩得十分开心。

“是不是吗？”马锐说，“是就承认。”

“没有！”马林生身子蓦地一沉，转脸白了一眼儿子，坐直了些，“我生什么气呀？我哪敢生气呀？我生气又算什么大不了的事，你还在乎？”

“还说没有，这些话不就证明有？”马锐抿嘴微笑，“咱坐起来说话行吗？这水太热，我有点受不了啦。”

“我觉得正好，你要起来你起来。”马林生仍像个贪图舒服的白熊泡在水里。

“我觉得你最近有点郁郁寡欢。”

“还郁郁寡欢——少跟我臭转你会的那几个词！”马林生十分不屑地说，“留神一下用光了。”

马锐并不介意父亲的态度，父亲的赌气和使小性儿倒使他觉得可爱，他笑着说：

“我觉得我用得挺是地方，就该用在这儿。”

“嘁——”马林生嗤之以鼻。

“你不觉得你这一段生活里少了点什么？”

“干吗呀？找我谈话哪？您这是代表组织啊还是代表个人？”

“不行吗？我个人不能找你谈话吗？”

“可以，谈吧。”马林生嚯啷破水而出，坐在台阶上腰以下仍浸在水里，“没错，我生活是少了不少东西，少的是什么我也知道。”

“你觉得你少的是什么？”马锐也随即出水，坐在父亲身边。他们俩就像同一式样不同型号的两只鞋排列着，儿子比父亲整整小一号。

“我现在不说，到适当时机我会说。”

“你最近为什么晚上不在写字台前……思考了？”

“干吗？问这个干吗？”

“是因为那次我说了您，不好意思了？”

“我怕你说干吗！嘁！我自己的生活当然我自己安排，我想干什么不干什么……你管不着！”

“我不是管您，您怎么不明白我这意思？这么说吧，您不觉得您缺乏自己的个人生活——我这么说是不是有点不好懂？我也不知道我说明白了没有。”

“我怎么没有个人生活？我每天上班下班，吃饭睡觉，那是干吗呢？那不是在生活难道是游魂？”

“我指的是下班后，唉——看来你真是没听懂。”

“我怎么没懂？我完全懂了，你是嫌我老跟你们这样小孩一起玩，丢你的人了。”

“你不觉得大人应该有和小孩完全不同的、更高雅的兴趣，应该更多地和其他大人消磨时光……”

“我怎么不高雅了？我不过是想多体验体验童心……好，既然你不乐意，我今后也再不会找你们玩了。你以为我当真没其他事好干！”

“你为什么不找一个呢？”马锐冷不丁问。

“什么？”马林生一时没反应过来。

“你不是等着想跟我妈复婚吧？”

马林生明白了，脸顿时绯红，不过也看不出来，他的身上脸上早被热水热气蒸熏得像只剥了皮的兔子，又红又嫩。

“你管得也太宽了吧？”

“不是的，老马，我们都是大人了，有些事情也可以谈谈了，我问你点什么你可千万别觉得我是成心逗你……你离婚这么久了……真能一了百了啦？”

“你别猪鼻子里插葱——装象了。”

“老马，不要这么无礼嘛，我是在很严肃地和你探讨这个问题。你是不是有什么难言之隐？”

“见你的鬼！”

“真的真的，是找不着呢还是不愿意找？你这么下去，很容易让人觉得不正常，我们同学就老问我：‘你爸一个人怎么过来的？’”

“用你们管我怎么过来的！你们这帮孩子平时都聊些什么？净些什么乌七八糟的想法。”

“大家都挺关心你的，觉得你有点怪，于是就分析你来着。”

“我警告你，马锐！”马林生气愤地说，“我不许你拿我去和你那帮狐朋狗友瞎议论。”

“没议论，就是有点奇怪。”马锐笑着说，“觉得你是不是有困难，我们是不是能帮你。我们一个同学的妈也是离婚的，人我也见过，长得还挺有味儿，我们那同学也觉得你还行……”

“这种事是不能在澡堂议论的你懂不懂？”马林生又把全身浸入水中，“你他妈少给我乱当红娘，拉皮条你岁数还小点。”

“你别不好意思，真的老马，别太封建，何苦嘴上硬撑着放任身心备受摧残？”

“根本就不是这么回事！”

“你就承认了吧，老马，我不给你传去。你这岁数，这情况，为这苦恼还不是要多正当有多正当。”

“你再嚷嚷，我淹死你。”马林生虚声恫吓，四下看了眼其他泡澡的人，“好吧，既然你这么关心我，这么坦诚，那我也跟你开诚布公地交交心，我为什么苦恼？我到底要什么人？”

“你缺的就是个爱人……有没有妈我倒无所谓。”

“听着，别打断我！自作聪明！你没觉得最近一个时期以来……”

“不行，我烫得实在受不了，我得出池子了。”马锐说着站起来，身上流淌着水浇到马林生头上。

“你等我说完。”马林生抓他。

“我不走，我在池边坐着。”马锐用毛巾蘸水洗了洗池沿儿，光屁股坐下，低头对池里的爸爸说，“你说吧，最近一个时期以来……怎么啦？”

马林生觉得这么仰头和儿子说话非常吃力，姿势也别扭，于是蹲着在水里沉重地蹚了几步，转身面对高高坐在池沿儿上全身裸体的儿子，虚漂在水里说：

“你不觉得最近一个时期以来我在家里的地位明显下降了吗？”

“没有啊。”儿子闻言有些吃惊，“您怎么会这么想？”

“我当然有理由这么想。”

“是我不够尊敬您，伤了您的面子？没有没有，不管怎么说，我心里始终还是把你当爸爸……”

“哼，我有时候觉得自己更像个孙子……”马林生说到这儿，忽然一阵辛酸，眼圈都红了，他掬起一捧滚水浇到自己脸上，甩甩水珠，湿淋淋的望着儿子。

“我对你怎么样？你心里有数，大家看得明白，你应该说句公平话。”

“那是那是，您对我那真是没得说——最近以来。”

“不是我耸人听闻，可天下都找不出第二个做爸爸的像我这么对你的，这么柔顺，啊，都有点涎着脸——为了博得你的欢心，我也真是什么都干了。”

无数的委屈涌上心头，种种的不如意化为一腔悲凉，马林生难过得别过脸，咬着下唇，竭力想把满眶泪水忍回去，他发现泪水越聚越多实在控制不了，便站起来哗哗蹚着水从大池子的另一端上岸了。

他站在喷泻的莲蓬头下面低头任水冲刷，儿子面带忧伤和同情从池边绕过来，站到父亲旁边的一个莲蓬头下低头冲着，不时偏脸看父亲，表示他仍在倾听。

马林生抬起头犹如立于倾盆大雨中，头发湿淋淋地贴在脑门上，眼睛被水打得睁不开，鼻尖的水呈线流进嘴里，大张的嘴既要呼吸又要不停地往外吐水，那样子格外可怜。

“我也不知道我还该干什么，怎么干好了。我就这么大能耐，只能做到这份儿上了，你要还不满意……”

他的声音在哗哗的水中显得嘶哑，哽咽不止。

老实说，马锐到现在也不明白他怎么啦，到底干了什么对不起爸爸的事，让他伤心成这样，但此时此景他根本没法问了。偌大的一条汉子又身兼自己的父亲，如此泣不成声，委屈得像个孩子，这场面在谁看来都不免骇然，不免怆然，不免怅然，只希望让他尽早破涕为笑。

“我没想到我会惹得你这么难过，爸爸。既然你这么难过那一定是我做错了什么。”

“你做错了什么？说具体点。”

“不管我做错了什么错在哪里我都要向你道声对不起：对不起，爸爸，请你原谅我的年幼无知。”

“那今后呢？”

“今后我一定改，再也不了。”马锐热情洋溢地对父亲说，“您为我做了那么多，做得那么好，不但我希望您做的您都做了，我不希望的没想到的您也主动做了，我还能说什么呢？我只有暗暗地庆幸。要是您不嫌肉麻的话，我就告您一句心里话：我有您这么一个爸爸真够了！”

“这话怎么讲？”

“再也不想要其他的爸爸，没妈也不在乎，”马锐解释。

“噢，是这意思。”马林生不做声了。儿子一番检讨和恭维如同一只温柔的小手轻挠着他的下巴，使他舒服极了，舒服得直想打呼噜。其实他想说的话一句还没说呢，刚说了个开场白就难过得分了神儿，接着儿子就迅速地服了软儿，全盘承认，搞得他如果再历数儿子的种种不肖就有些不饶人了。说出来，控诉个详细，不也就是想得到这么个结果吗？既然结果已然获得并出乎意料的好，那过程也就免了吧。何况仔细费心一思量，那些令他感触不已的事还真有些不好出口，都是些什么事嘛！玩扑克受歧视装病不被理睬……如此最好，一切尽在不言中，正在通与不通之间便得胜还朝。

喷泻的热水笼罩着马林生的脸，梳理按摩着他的股股肌肉群，他的脸一时显得云山雾罩、神秘莫测，使马锐有些捉摸不透，因而惴惴不安。

马林生在水中欣然回头，一脸笑容地看儿子，颓废、消沉一扫而光，显得既开朗又健康。

“走，搓泥儿去！”

他离开淋浴，一手搭在儿子光溜溜的后背上，踢拉趿拉地带着儿子来到搓背师傅跟前儿。父子俩轮流趴在那光滑油亮的长条凳上，颠来倒去，伸胳膊抬腿，让那熟练得像个屠夫的搓背师傅把全身上下每一个旮旯都褪下一层皮，然后像受拷打昏死过去的革命者被一盆水冲得干净净，师傅再给涂上满身肥皂白花花的像个毛不太密实的绵羊浑身舒坦地去淋浴那儿再冲。

“你说，你们同学他妈今年多大？”

父子俩洗完了出来，在腰里系上条浴巾，招呼澡堂伙计给沏上一壶茶，各自半躺半坐在衣柜间的床上，抽着烟喝着茶，红光满面地说话儿。

“怎么着？有意思？”

“嗯。”父亲有点不好意思，“你推荐的，当然要见见。”

“你可得正儿八经的，不能玩弄人家的感情，这可是我们同学的妈。”儿子有点不放心。

“叫你说的，我是那不庄重的人吗？只要我看得上，当然得三媒六证地娶回来再说其他的。”

“我还不知道你都有什么条件呢？你对这女方都有什么要求？模样儿啦，性格啦，品质啦……”

“这可就不好说了，这说来可话长了，你是问高标准还是低标准？这得两说着。高，可就高得没边儿，你们同学他妈肯定不够；

低，不够判刑的就成……”

马林生若有所思，情寄远方，他忽然觉得有必要未雨绸缪，先让儿子有点精神准备，便问：

“你说，我要给你找个年轻点后妈，你能接受吗？”

“我无所谓，你别管我，只要你喜欢找个幼儿园的我都算你有本事。”

“嗬，你也够新潮的。”

“那是，岁数比我小我不管她叫妈不就得了。她到底多年轻？年轻到什么程度？”

“嗯？”父亲看了眼儿子，“肯定比你大，大个七八岁，比你还小那成什么了？”

“这么说，你外边已经有人了？看你的活动规律不像啊。”

“能让你看出来？嘁，要的就是神不知鬼不觉。”

父亲颇有些得意，觉得挺捞面子，故意闪烁其词。

“她是哪儿的？叫什么？”儿子十分好奇，“我认识吗？”

“目前还不能告你。”既不肯定也不否认。

“得了吧，根本没这么一个人，你在吹呢。”儿子嘲笑他。

“你说我吹，那就算我吹吧，根本没这么个人。”马林生自信地微笑着，欲擒故纵，越发显得煞有介事。

“你真的有个小情人？”儿子犹疑地问，“你还挺有手腕，真看不出来。”

“啊，算不得情人，不过是要好。”马林生也觉得这么言过其实地编下去有些无聊，便给自己找台阶，打后场。

“要是积极点、努力点完全可能。她的意思很明显，肯定不会拒绝的，不过我自己觉得没意思，她太年轻，太纯，跟她近乎总觉得有些欺负人的感觉。我还是应该找一个跟我年龄差不多的、中年的、比较成熟的妇女。”

“你在哪儿跟她认识的？单位？”

“嗯，差不多类似的场合吧。”

“哪天带来叫我见见？”

“我不想找她，既然跟人家没那意思，何必招人家。”

“做个朋友嘛，一起聊聊也好。”

“不必不必，还是不见面的好。”马林生已经讨厌这个话题了，把话岔开，“你们同学那妈，你打算怎么让我们见面？”

“我都有点不太敢把我同学的妈介绍给你了——你太风流！”

马林生听了儿子这一评价挺高兴，同时心下茫然，不知这喜悦从何而来。

马锐同学的那个妈，那位成熟的妇女一眼望上去模样儿竟出人意外的齐整。

一个老爷们儿，体面的父亲，孤守了这么几年，那滋味儿没尝过倒也罢了，又是个过来人，年轻时也是一员骁将，那不可告人的折磨与苦衷也就可想而知了。

刚离婚那会儿，马林生还不是很性急，那时他还有一个死灰复燃的旧日相好。那位跟他在一个工厂做过工的质朴的妇女曾苦苦地不顾脸面地追求过他，直到后来各自结婚成家，仍把他当做一桩未竟的事业牢记心头。听说他离婚后，便主动送上门来，尔后形成规律，每隔十天半月便发扬一次“革命的人道主义”。并非爱情，仅仅是同情，这点马林生是再三问清并得到保证后才欣然就位的。那时的马林生就像停薪留职去做小买卖那么踏实，毫无后顾之忧，发了财固然好，发不了财也永远有个铁饭碗在等着他。可惜好景不长，那位质朴可爱的妇女得了癌，具体长在哪儿不清楚，像棵遭了虫咬的白菜，叶片很快都黄了，干枯了，残缺不全了，最后死在自己家里。

那也是好几年前的事了，从那时到现在，马林生守身如玉。同事、街坊没少把一些有“掌”的女同志发给他，但他不是孤傲吗？不是乐观吗？不是爱幻想吗？所以至今仍在孤傲、乐观地幻想。

他的确需要有一个成年人的私生活了。风华正茂的年龄已近尾声，与其遥遥无期地等下去眼睁睁看着自己痛苦不堪地衰弱下去，不如抓紧时间像个人似的最后活上几天。那样，当他临死时，就可以说：我等过你没来但我也没耽误。

即便你刚走她来了，在首鼠两端间苦恼也比白白在寂寞中一心一意地憔悴划算得多——大不了让人骂声浪荡。

于是，他决心不错过机会！

他们是在女方家里见的面。去前他曾征求过儿子意见，该穿什么买点什么要不要扎根领带。儿子说一概不要，八字还没一撇呢不要搞得过于隆重，容易让人家也紧张，只当随随便便去串门，有戏了再往下进行愿意使自己更合乎礼仪那随便。

“就跟你去过多少个老丈人家似的。”马林生乜着眼打趣儿子。

女方家在另一条胡同，也是住平房，但她们住的那所宅子质地明显要比马家的强。看格局、规模和式样也许是旧时官宦人家的房子。女方家住三间北房，十分宽绰，洋灰顶子花砖地，前廊后厦。家里的摆设倒也没多么奢华，但一切井井有条，一尘不染，到处挂着、铺着小摆设和手工刺绣饰物，连茶杯底下都垫着绣垫儿盖上蒙着花帕，看得出，是那种把全部聪明才智都用在过日子上的极耐心极细腻的人。

这和马林生想象的那种年轻姑娘的有点狐狸窝感觉的香窠不大一样，更像鸡妈妈整洁的客厅。

他们已知道了互相的名字，女人叫齐怀远，一个普通、顺嘴，令人一听就没什么距离感的名字。

马林生虽然一路上一直都在叮咛自己要大方，但乍一见齐怀远还是有些拘谨，笑得不太自然。倒是马锐和那家儿子像两个谈判老手似的互相和对方的代表握手，并把己方的主要成员介绍给对方。

“你们谈吧。”齐怀远那个叫铁军的儿子正儿八经地说，“简单的情况我和马锐已向你们各自介绍过了，你们可以直接进入实质问题。走吧老马。”他招呼马锐。

“老铁，咱们是不是当着他们双方的面再把我们的态度重申一遍？”

“不必，我们的态度很明确，他们也都知道，五个字：一概不干涉。随你们怎么谈。”

两个孩子严肃地望了一望这对成年男女，彬彬有礼地退下了。

孩子们的郑重使马林生觉得有些可笑，特别是他们互相之间成人式的称呼，使他有一种自己的名位被僭越了的感觉。

“你们孩子平时也用这种口气跟你说话吗？”他等孩子们离开后，微笑地问齐怀远。

“不，平时他非常有礼貌，对我也非常尊敬。”齐怀远并没有响应马林生的微笑，她似乎更关心儿子给马林生留下的印象，“他很懂事，不是那种无法无天的孩子。”

“我并没有说他们这样就是不礼貌。”马林生嘟哝着解释，“不过孩子用这种口气跟大人说话总有点那个……”

“我认为这正说明孩子们对此事是十分认真的，他们不想开玩笑。”齐怀远目光灼灼地盯着马林生，似乎要在他脸上找出一颗痣来，“你请坐吧。”

“真怕把你这沙发坐脏了。”马林生坐下，又一次试图开玩笑。

“脏了就洗嘛，没关系。”齐怀远坚定地说，把一杯早已沏好的茶从茶几那头推到这头，“请喝茶。”

然后她捋捋头发，抬头直视着马林生，当他们视线相遇时，她也毫不退缩，两个眼睛瞪得大大的像是正在医生面前检查视力。

倒是马林生不好意思再看了，转脸去浏览室内。这女人细看就显出年龄来了，白皙的脸上特别是眼角额头有很细很密的皱纹，像一毛六一卷现在涨到三毛四一卷的卫生纸。她的那双眼睛年轻时一定很漂亮，水汪汪黑白分明，现在则上眼皮有些耷拉瞳仁发黄睫膜铁灰无论她把眼瞪得多大看上去还是像近视眼一样没精打采。她的嘴唇很薄，薄得像菜刀的刀锋，她没有涂口红，大概是因为除非涂到下巴和人中上否则无处可涂的缘故。

“你觉得我怎么样？”齐怀远语调铿锵地正视着马林生说，“说说吧，你对我有什么看法，或者，意见也行。第一眼印象怎么样？还看得过去吧？”

“这个……”马林生脸腾地红了，一直红到耳朵，所以尽管他侧脸低着头，还是给齐怀远看见了。

“我觉得我们都不年轻了，又结过婚了，连孩子都很高了，没有什么不能坦率说出来的。我不希望再像年轻人那样躲躲闪闪的，干脆点，行就行，不行就拉倒。你可以把你对我的所有真实想法都讲出来，我不会在意的——说吧！”

“这个……”马林生抬起头，但还是不敢看齐怀远。

“你不能看着我说话吗？你盯着暖瓶说给谁听呢？”

“这个……你知道？我们都已经过了一见钟情的年龄……”

“知道知道，我老了，没年轻姑娘那么经看了，谁要说第一眼就喜欢上我，那是假的，我也不信。总的来说，在我这个年龄的女人来说，你认为我怎么样？”

“风韵犹存……”

“走在街上不影响市容吧？”

“不，基本持平……”一想到这个女人将要和自己同床共寝，马林生的目光变得邪恶了。另外，他也被这个女人肆无忌惮的言行所激励，也拿出几分厚颜无耻的劲头，“你站起来走几步给我看看。”

齐怀远噌地站起来，退到屋角，然后像赶公共汽车一样噔噔迈着大步从屋子这头走到那头，边走边拿眼睛瞟马林生。她的身材几乎是无可挑剔，像姑娘一样窈窕，又有成熟妇女的浑圆和丰满，除了腰长点，不过这也是黄种女人的体态特点，可以视而不见。

“一遍看清楚了吗？”

“看清楚了看清楚了。很好，没什么可说的。”

“那么，你起来给我走上几步看看。”

“怎么，我也需要走吗？”

“最好走走，这样将来我们谁也不能抱怨说当时没看清。”

如果是齐怀远首先提出的这个倡议，那马林生肯定当场断然拒绝，问题是这馊主意是他自己提出来的，人家齐怀远也大大方方先走了一遭，所以他再觉得此举不堪也只好硬着头皮走走了。

他没像齐怀远退那么远，就从他坐的沙发处站起来，在齐怀远面前转了几圈，身子几乎是原地不动，不像是模特儿表演，倒像是在裁缝铺做衣服量尺寸。

“我怎么样？”他坐下干笑着问，感觉非常需要喝口茶。

齐怀远没有立即回答，认真端详着他，半天，才皱着眉头问：

“你是不是有什么慢性病？”

“没有啊……你怎么看我像有病的样儿？”

“没什么科学依据，就是觉得你不精神，脸色跟大烟鬼似的。你平时抽烟吗？”

“抽。”

“抽烟可不好，抽烟有毒，你没瞧世界上抽烟的人肺癌发病率多高？”

“你是医生吧？”

“不，我是防疫站的，跟医生的工作也差不多。我是搞检验的，专门监视本市居民的饮用水是否清洁。”

“清洁吗？”

“你平时天天喝水你觉得呢？”

“我喝的都是开水。”

“是啊，水烧开了喝了不得病就说明清洁，喝生水生病那就不是我们的责任了。”

“有喝了开水生病的吗？”

“哼，还有喝了开水喝死的呢。”齐怀远冷笑，“聊天以后再聊，先说要紧的，你能不能近期去医院全面检查一下身体？”

“为什么呢？你还不信我没病？”

“我也会给你一份我的身体检查报告，在这点上我们应该双方心中有数，你也不想后半辈子找个病秧子老伴负担吧？”

“可是……可是……”马林生又开始结巴。

“可是什么？你想说你还没同意是否进一步接触呢是吗？”齐怀远冷冷地看着马林生。

“……”马林生苦恼地喝茶。

“没关系，你想说你就说吧，是不是不同意？不同意你就说。放心说，大胆说，一点事都不会出。我都被两个丈夫蹬过了，还在乎你说这么一句话？说呀，我不怪你，是不是不想再见我了？”

齐怀远说着自己笑起来，“说嘛，这么简单的一句话这么费事，那要有更复杂的问题让你决定呢——是不是不同意？”

她瞪起眼。

“不……不是，不是不同意。”马林生纯粹是本能地在逼问面前盲目否认。

他根本没来得及仔细考虑呢。

“那好，这星期天还是这个时间，你带孩子到我家来吃饭，我们再进一步谈。先说好我们家没酒，我也不喝，要喝酒你自己带——还有事吗？”

齐怀远直勾勾地盯着马林生。

马林生正慢条斯理喝着茶，一见齐怀远这眼神儿，忙把茶杯放下，慌乱起身。

“没事……那我走了。”

“再见。”齐怀远淡淡地说，拿起一支细香点燃插在支架上。

马林生灰溜溜地穿胡同回到了家。路上经过垃圾站时，正赶上一帮清洁工人在往车上撮垃圾，他们一个个都拿铁锹捂着口罩头上戴着那种垂着长片布帘的战斗帽，活像一群日本兵在为非作歹。一桶桶胀鼓鼓的垃圾被叉车装置吊到车顶，倾入车厢，空中刮着大风，碎纸飞舞，恶臭扑鼻，马林生踩着一地狼藉掩面而过，还是给弄了一头一脸灰，使他看上去更是一副倒霉相。

马锐正和铁军坐在外屋的木把沙发上，隔着一个茶几喝茶、抽烟，长吁短叹。他们正在谈论一本刚看过的对我国目前经济形势及未来发展趋势进行评估的书。书中的悲观论调使得他们心情黯淡。

“怎么办呢？何时能爬出低谷？”马锐怅然若失。

“疲软啊，疲软！何时才能重新坚挺？”铁军浩叹。

“看谁能熬得过谁了。”马锐安慰朋友，“不要紧，反正到我们饿肚子时，农村早哀鸿遍野了。”

看到父亲进来，他点头问：“谈完了？这么快？我们以为你们还得一会儿呢。”

铁军也问：“我妈妈没出去吧？”

“没有，她都打水洗脚了，不像要再出门的样儿。”马林生在远远一旁的小板凳坐下，闷闷地不言不语。

“等咱们长大了，只怕是生意越来越难做呀。”

“可不，我这二十五岁以前发财的计划恐怕要延期了。”

两个孩子又聊了会儿，铁军告辞。

“我得走了，回家还要问问我妈妈今天谈得怎么样，明天到学校咱们再把情况碰一碰——今天又要晚睡了。”

铁军站起来，跑过马林生面前忙摆手，“不要起来不要起来。”

他对送他到门口的马锐说：“老马，留步吧，以后再接着聊。”

“慢走啊，老铁，留神脚下。”

两人极为客气地在台阶上互相拱拱手，铁军转身走了。

“谈得怎么样啊？看上去情绪不高嘛。”马锐回屋后对父亲说，拿起茶儿上的烟抽出一支递给马林生，“跟我谈谈吗？”

马林生接过烟，要过马锐手中的烟对着了火，把烟还给儿子，抱怨道：

“你现在也越来越不把我放在眼里了，当着我面就公开抽烟，你说我是管你不管你？又怕当着你的哥们儿让你栽面子。”

“这不是偶尔，来了客人，才抽一口，又不是经常的，成了瘾。”

“还有，你们屁大的孩子，互相乱叫什么‘老李’‘老张’的？小小年纪一个个老气横秋的，看着也不像啊。”

“你今天这个气不顺嘛。怎么，谈得不理想？她没看上你？”

“不是，她这星期天要请我们去吃饭。”

“好嘛，去吃嘛。她这个讯号很明显，明显对你有意了，否则不会请你去吃饭。”

“这我不用你教我，我还看不出这个来？”

“那你还愁什么？心里还有什么解不开的疙瘩？”

“为什么相爱的人总不能聚首！”马林生爆发。

第十一章

星期天，马林生本来是打算在家看完女排的比赛，掐着吃饭的时间再到齐怀远家去的。可马锐一早就催促他，非让他到那边去看电视，大家一起说说笑笑多热闹，并大大嘲笑了一番他的运动兴趣。一个老爷们儿不爱看足球偏喜欢看女排，是看人呢还是看球？如果是看球，那最差的男排也比最好的女排球打得好看。要么就是女排赢多输少，特别是在亚洲，简直可以横冲直撞，看了不受刺激，可这样的话，那你确实再挑不出几个运动项目可以看了。马林生本来还想申辩，他完全是屈从于一种习惯，就像人们在几十种牌子的可乐型饮料中更多地选择“可口可乐”，纯粹是受了宣传的影响。但一种习惯一旦与低级趣味联系在一起，就很难洗清自己，理由越冠冕堂皇越使人强烈地认为你意在掩饰最阴暗的心理——简直越抹越黑了。

为了表示自己与女排其实并无干系，他只得听从了儿子的安排，心里觉得儿子很卑鄙！

特别使他不舒服的是，出门前他在换衣服时，听到夏青在门外小声笑着问儿子：“给你爸介绍对象去？”

他没有听到儿子的回答，但他无由地想到，儿子一定是冲夏青挤了挤眼儿。

他从站在院里笑吟吟地望着他的夏青面前走过时，胳膊腿儿几乎走成一顺儿。

到了齐家，他发现那天不单请的他们父子，还有两个和齐怀远年龄相仿的女人，一见他就抿着嘴吃吃笑，眼睛滴溜溜地在他全身上下乱转。他一猜就是齐怀远的腻友，被专门请来对他进行全面、综合的评价。他心里很讨厌这种场面，但他身上那种与生俱来的讨好、取悦他人，希望给所有见到他的人都留下好印象的本能开始蠢动了，几乎是身不由己地像拔了瓶塞子的酒精开始发挥。他满脸堆笑，眼睛笑成一条缝，把最密集连针都插不进去的笑容毫不吝啬地抛给每一个人。甚至在大家谁也没看谁都在看电视时，他也兀自常备不懈地笑着。这样，无论你在何时何地多么突然看到的马林生总是一副笑脸。

他耐心地听着那两个女人的每一句废话，并以同样的但经过巧妙修辞装饰的废话应和，使这些废话听上去像是有趣的交谈。那两个女人像儿童玩具柜台卖的橡皮鸭子很爱发笑——一捏就嘎嘎叫。

马林生大获成功，在一屋子人中他显得那么与众不同视野开阔。为了不使自己的聪明凌驾于众人之上以致使群众产生异类感，他又有意讲述一些自己的尴尬事以示拙朴可爱。他绘声绘色地讲述那天他有票却没能进场观看的故事，把一个倒霉、令人沮丧的经过讲成了一场有趣的、唐老鸭式的冒险。他把他和警察们之间的对话都变成了一种情绪完全受他控制的相声式的逗哏，编造了一些他当时既没想到也没能说出的隽永、俏皮的话，显示他在警察面前应付裕如，巧于周旋，似乎他在场外倒霉的经历比进场看真正的开幕式还来得值当。他是一个能把像警察这样的人都玩弄于股掌之上的智者，现世的阿凡提。

以自我调侃开始，以自我吹捧收场。

他讲得是那么精彩、娓娓动听，甚至他自己有一刹那都听呆了：我要把这些话记下来，就是一篇好小说啊！

他赢得的何止是一颗芳心！

两个女人都公开对齐怀远说："抓牢他，否则我们就要把自己嫁给他了。"

连马锐脸上都有一副父亲给他增了光的自豪相。

本来，这顿饭是没酒的，但话说得是如此有趣，焉能无酒？两个女人便掏钱派孩子们跑了一趟，买回了一些啤酒色酒。

娘们儿其实都是一副好酒量，席间你一杯我一杯地灌马林生，催着他再讲笑话儿，三双媚眼飞来飞去，令马林生目不暇接。他陶醉在一种巨大的成就感之中，觉得自己非常有魅力，非常讨女人喜欢，非常会交际，有了这套手腕，还有什么艰难险阻不能克服？

齐怀远在他的醉眼蒙胧中也变得年轻、清秀了。不比不知道，在三个娘们儿中她真是金牌得主。酒色上了她的脸，使她看上去很有几分柔媚。女友们笑她喝红了脸美昏了头，她便放了酒杯，双手捧着一张粉脸咯咯笑个不停，娇态犹如少女。马林生目睹此景，心中怦然一动，严肃起来：这娇容倒有几分性感呢。

他这才低头吃菜，举箸茫然，发现其实没什么可吃的。这女人委实是个精明的女人，七盘八碟花花绿绿一片看着倒很丰盛，但十几个菜的主要原料就是一只鸡，金全贴脸上了，其余不过是些叶片形状不同的植物。

这感觉在后来撤席后齐怀远单独把他拉进里屋试穿一件她送他的中山装时更强烈了。

那衣服的料子很高级，但式样陈旧，而且有一股浓浓的樟脑丸和久压箱子底才会有的呢子味儿，一看就知道是她扣下的不定哪任丈夫的剩余物资。透着一招一式都经过精心算计，既想显得诚恳待人又处处留着后手。就像一个婆婆拿几块旧料子送没过门的儿媳妇，这样一旦鸡飞蛋尚可以保全，不致整个血本无归，就当舍给边、老、少、穷地区人民了。

如此一想，齐怀远在马林生眼里立刻渺小了。

“我看还合适。”齐怀远四周转着抻着中山装的衣襟下摆，摘着沾上的线头，“——送你了。”

“先搁你这儿吧，天凉了我再过来穿。”马林生一边脱衣服一边不快地想：这女人有点庸俗。

女人边叠衣服，笑盈盈地望着马林生，眼中似有几分狡黠又有几分召唤，她那个十分显露曲线的坐姿很像对镜排练过的。

“没想到你还挺能喝，也挺能聊。”

“不常这样儿，今儿也是例外……”马林生像个头一回逛窑子的嫖客不知是客气点好还是亲热点好，“你看上去也能喝二两。”

“我当姑娘的时候，有回心里苦闷喝过一瓶‘二锅头’。”齐怀远叠好衣服放至床上，站起来去把门关上，边朝马林生走来边说：“这样儿好，会分场合，该严肃严肃，该活泼活泼，我就不待见那逮哪儿逮谁都胡说一气的人。”

她走到马林生跟前，腿一软，马林生只好两手接住她，否则她会跪地上的。

她不吭声了，闭嘴闭眼像是一下睡过去了，虽说也就一口袋白面的斤数，但凭空抱着还是有些分量。马林生凑脸去看她玩呢还是真睡了，孰料一只手从脖子后面包抄过来把他一下按低了头，挤扁鼻子地贴在那张粉脸上。他的舌头上沉甸甸地压着另一条舌头，如同一个人摊手摊脚躺在你身上睡觉。谁都知道压板那样轻巧的竹片压在舌头上都会引起什么反应——他一下打了个翻腾不已的嗝儿，完全凭着毅力才将泛起的沉渣原道遣返回去。

他红着眼睛，眼泪汪汪，实在控制不住清鼻涕的外溢，蹭在了人家脸上。他心里十二分抱歉，十二分狼狈。

他不知道此事是到此为止还是循序往下，齐女士是等他主动还是自有拳路。正兀自犯疑，忽近在咫尺看见了齐女士的双眼，吓了一跳，所有想法、心愿一体打消。

那双眼正聚精会神地观察他。

他觉得自己就像条被小孩盯着同时用一个手指拨弄着看是死是活的虫子。

他被齐女士堵着嘴黏着，插翅难逃。

齐女士怕是也有些口干舌燥了，那舌头又腾挪翻飞了几下便倏地缩回了。

她松开马林生，重新用自己的腿站住，整理头发，嘴里咬着发卡对马林生说：

“我已经是你的人了，你得对我负责。”

马林生当场就有点被讹上了的感觉。

“我……我怎么……你是我什么人了？”他鼓足勇气问。

“你说我是你什么人了？你想啊，想想就明白了，什么人才会这样儿？”

齐怀远把自己整理完毕，就像刚从大街上回来还没松绑随时可以再回大街上的样子。她又开始整理室内，把东西一一归位。

马林生预感到她要请自己开路了，便主动往门口走。

“咱们哪样了？我没觉得咱们怎么样了。”

“没够是不是？这已经让你占便宜了，以后有的是时间，有你够的那一天。”

齐怀远边说边忙着，走到床边，看到那件叠好的中山装端起来朝马林生怀里扔过来：

“接着，送你的你就拿着，还客气什么？”

最后，她把屋子整理完，两手抱肘靠着五斗橱对马林生说：“记着，下星期该我到你家吃饭去了。咱们有些事也该具体商量商量了，什么时间怎么办到时候都请谁……”

“什么意思？”马林生蒙了。

“什么意思，还不明白？”齐女士把上身探向前，头一点一冲地大声说，“我——爱上你啦！”

“她丫凭什么！”马林生冲着夏经平劈面便嚷。

“坐下说，坐下说。”正在和家人、邻居打麻将的夏经平慌忙离座，招呼女儿，“夏青，把冰箱里的冰镇西瓜给马叔叔切一块。”

“……啐，有他妈这么不讲理的吗？”马林生边吃着西瓜往手心里吐着子儿，边愤愤不平地把自己的遭遇突出重点地讲了一遍，“她怎么就成我的人了？我一百个想不通。”

“不是我说你，林生，你也一把年纪了，怎么还能不分好歹见食就吞——被人钓住了吧？”夏经平微笑着替老同学惋惜。

“我真没有，我就……”马林生做了个飞吻的小手势，“这算什么呀？还是她把我按着干的……我要真干了什么我也不冤呀。”

“肯定你也不是立场特别坚定。你要真是行得端坐得正一身正气，她也不敢拉你下水。”

“老马，你也不用在这儿装得挺委屈，被强奸了似的。”夏太太在一边摸着麻将牌隔着桌子说，“你要前边没有搔首弄姿人家女方上来就直接扑你——跟谁说谁也不信！”

“肯定你前边鼓励人家了。”夏经平也笑，“没点暗示女的也不敢上来就啃呀。”

“我，我怎么跟你们说呢？”马林生脸憋得通红，“我前边就是喝了点酒，话多点……可能是看着有点浪。”他自己也不得不承认。

一屋人都笑了。夏太太撇着嘴，“都能想象出你什么德行样儿。”

“我浪我的，你别动火呀。”

“行啦林生。”夏经平拍拍马林生的膝盖，“好汉做事好汉当。既然干得出来就别怕人家捉你。”

“经平，你是法院的，想必是懂法……”

“嗯嗯，懂一点点……”

“你说我这点事，够多少年？”

“怎么，她要告你？”夏经平吃了一惊。

“目前没有，我是说万一。咱就照那最严的量刑标准，假设是在‘严打’时期——流氓够得上吗？”

“我是整个没听明白。”夏太太又远远地说，“你今儿一天都干吗去了？到底是跟谁呀？是不是还有什么重要情节隐瞒了？”

“是啊，你不是相对象去了吗？”夏经平也糊涂，“怎么越说越严重？”

“是相对象，没干吗，也没有隐瞒什么。”

“你去相对象，被对方啵了一口，如此而已——有什么不对吗？”夏经平纳闷地问马林生，“不正说明……成了！你要的不就是这个吗？”

“她还说她爱我，居然……”

“就更对了！你干吗去了你自个弄清楚没有？”

“我当然清楚，可压根还不是那意思呢——还！冷不丁了点，总得征求征求我意见吧？毕竟我也算当事人吧？”

“你还没听明白，经平？”夏太太又在远远的牌桌上说，“人家看上了他，他还没看上人家……新痰盂——端起来了。”

“噢，你压根就没瞧上她？”

“我这么跟你说吧，我压根就没来得及端详，一切就结束了——就是这么个感觉。”

“你是说她猛点，动作麻利点？”

“正是！我连她到底长什么样儿这会儿印象还模糊呢。”

“是女的不是？”夏太太冷冷甩过一句。

“弟妹，这么说可有点不分青红皂白了。我虽是一介寒士，可也有自己的理想和追求！”马林生话说得是掷地有声。

“没不让你追求，没不让你追求。”夏经平忙劝慰老友，对妻子横去一眼，“你别瞎掰，好好打你的牌。

“我一点没瞎掰。”夏太太啪地打出一张牌，“就你们男的有追求？谁又不是凑合？头婚尚且将就更甭说你这二婚了。年轻漂亮的有，满大街——都进别人家了。”

“我没有说我挑，心高。”马林生有点气馁地替自己辩解，“你起码让我有一个犹豫不决三心二意的过程，容我慢慢想通的。”

“这没有齐头并进的。谁先通了谁先说，人家这么着没错。”夏太太斩钉截铁地说。

“她没什么明显残疾吧？”

“没有。”马林生摇头，蔫头耷脑地对老同学说，“实事求是地说：中等，对我也不错，瞧见没有，这衣裳就是她硬塞给我的。”

“那你还要怎么样？可以啦。人中等，对你又好，你，我，咱这一屋子人有一个算一个，又何尝不都属于中等？”

“中下等！”夏太太气呼呼地说。

“是一个阶层没错，我就是接受不了她这方式。”

“表达爱的方式就是粗鲁点又有什么不好接受的？”夏经平笑着说，“你怕是让人虐待惯了，对你好你倒膈应了。”

“不是那么回事，谁要对我不好，我根本不计较人家方式，就该恶狠狠的。但你要对我好还跟我恶狠狠地说，这我坚决想不通，我得点好儿都不能痛痛快快地得？我也太惨了！”

“就像叫花子有时也拒绝施舍，对不对马叔叔？”夏青说。

“对对对！还是夏青理解我。为什么人们常常拒绝怜悯蔑视恩赐？就因为人们有尊严，需要平等的对待！”

“林生啊，你太注重形式了。”夏经平说，“你虽不是知识分子，却染了一身知识分子习气。”

马林生虽然对这话的前提持保留态度，但还是综其主述骄傲地回答：“对，我就是这么个古怪脾气！”

夏太太似乎有些感触，推了牌说：“我同意马林生的这个说法，换我也一样。谁要对我不好，我没意见，不受也得受。但你要对我好，就得像个好的样子，一点不讲究，只觉得自己好心就可以胡来——呸！没人稀罕！”她斜眼瞪了一下丈夫，低头看牌，“——和了。”

“那你到底怎么着啊？”夏经平忙把脸整个地转向马林生，“是继续下去还是就此拉倒？这点你可以放宽心，她上边再有人儿，一个‘克撕’也办不了你。”

“我想托你去代我向她提抗议。”马林生想了一会儿，抬头诚挚地望着老同学说。

“这我可办不了，不成不成，你怎么净把这得罪人的事让我办？”夏经平两个腮帮子抖得像刀震案板，连连摆手。

“你是法院的，穿上制服在群众面前有威信。”

“不成不成。这亏我不是没吃过，两口子打架我去主持正义，转脸人家好了，剩我没法见人了，不成不成。”

“马林生你也真是迂腐到家了！”夏太太不屑地说，“这点事你就提请司法机关出面，回头真有了事你还去找谁？找你的媒人带话儿啊，谁给你们撮合的？你的介绍人是谁？不是大街上磕的吧？”

夏青就笑，晃着两个鬏鬏看马林生。

“对对，”知悉内情的夏经平也笑着说，“这事你还是回家解决吧。”

“这话我不好意思跟孩子说。”马林生脸红红地低声说。

“还是那句话，干得出来就不怕说。”

“咳，我不是他爸爸吗？换了别人我也不在乎，本身也是个丢份儿的事。”马林生叮嘱夏青，“你可别给我外边乱说去，这话儿本该也背着你的。”

“我不说，我怎么那么爱管你的闲事？”

“我觉得铁军他妈真会收拾房子，其实她家跟咱家经济条件差不多，但她家看着怎么就那么高级，跟部长家似的。”

“你是真没见过什么叫高级地方。”

马林生坐在藤椅上深沉着，马锐在一边灯下削苹果，锃亮的水果刀光芒闪烁，青红相间的果皮一卷卷耷拉下来。

马锐削完苹果，举到自己嘴前咔嚓咬了一大口。

“怎么自己先吃了，不给我削一个？”

“噢，您等着哪，那这个给您。”

马锐把啃了一口的苹果递给父亲，马林生接过来不分高低地咬吃起来。

“以后想吃就自己削，别老让人伺候，这习惯不好。”

“你给你爸削个苹果怎么啦？学过孔融让梨吗？”

“瞧瞧，你还弄出天经地义了。”马锐又拿了个苹果削皮，边削边笑着说，“我就觉得铁军家干净，布置得特有情调，像人住的地方。”

“哼，俗不可耐，住着不定多别扭呢。”

“我想把咱们家也照着他们家那样儿布置布置，花不了几个钱，咱们家太乱了。”

“马锐，我真得好好培养一下你的审美观了，我记得你过去没这么俗啊。”

“你给我点钱，我来布置，把沙发套、窗帘都换了……”

“不成，你别给我添乱。我就喜欢现在这样儿——你不许擅自更动东西的摆放顺序。”

“你不觉得齐阿姨特会理家吗？”

“家庭妇女！”

“可不是家庭妇女怎么着，你还想让她是什么？”

“看来你对姓齐的印象还挺好？”

“是不错。长得又带得出去，人也能干，找媳妇有这两样儿还求什么？”

“既然你觉得她这么好，那我把她留给你了。”

“你这就不像话了。”马锐削完苹果，在一边坐下，“这是给你说媳妇儿。”

马林生把吃完的苹果核儿往门后的簸箕那儿一扔，喤啷一声。

“我觉得你比我合适。爱情嘛，不管早晚，不分先后，我忍痛割爱。”

“老马，你今儿是怎么啦？说话流里流气的，这可不像你……跟你说正经的呢。”

“是吗？跟我说正经的？可我今儿还就想当会儿流氓。”

马锐严肃地望着爸爸，“怎么，心里不痛快？是不是又想起你那个小情人了，觉得对不住她？”

马林生本来是无知无觉，但经马锐一说，倒有点觉得自己真是这么想的，真有点觉得对不起S。是啊，如果她知道了自己背着她又去和齐怀远鬼混，她一定会伤心死的，这也太无情无义了，应该称之为背叛！

马林生像被说中心事似的垂下了头，脸上流露痛苦、矛盾的神态。

“过去的事就让它过去吧。既然已经友好地分手，生活的脚步不能停顿。就是她，如果她真爱你的话，不也衷心地希望、祝愿你今后幸福——她也不愿意看到你现在这副痛苦没着没落的样子。”

“是是，她一定会这样希望。”马林生愈发沉溺于自设的规定情景之中，心中如万箭钻心。

“不要再自己折磨自己了，为了她你也要好好地活下去……才对。”

儿子的话令父亲大为感动，但转念一想，又觉荒唐，这是从何说起？苍凉、悲恸之感顿时一扫而光。

“你他妈的少跟我废话！”

“哎，你怎么那流氓劲儿又上来了？我是一片好心——你说话别带脏字儿啊。”

马林生站起来，又去拿了个苹果，没削皮便啃了一口，“我太累了，今儿一天我累得慌！饭也没吃饱。”

“要不要给你下点面条？”

“别啦，我先告你个坏消息吧。”马林生咔哧咔哧咬着苹果，“下礼拜，齐怀远要到咱们家来吃饭——一想这事我就烦。”

“这怎么是坏消息？这是好消息呀。也该让人家到咱家来了。怎么，你们已经进了一步？”

“……趔趄着挪了一点。我不明白，你怎么会喜欢齐怀远这么个娘们儿？她连我都指使得像个球儿似的团团转。真过了门来你还能像现在这么得意，跟我平起平坐的？人家小白菜是哭亲娘怕后娘，你可好，汉奸似的举着小旗儿夹道欢迎。”

“我这不是为你吗？你老一个人打光棍儿我也不落忍。”

“说得比唱得还好听，我看你是没人管着勒着难受，这责任我负得起来。”

“你也尝到挨管的滋味儿了？”

“你还别美，我看她对你也是先礼后兵，到时候可别怨我不救你。”

“她是你媳妇，对我不能怎么着。”

“哼哼，懂什么叫无一幸免吗？她要是祸害，就是咱们全家的祸害；她要是火坑，那咱俩就全在火坑里，你是她儿子的哥们儿也不管用。咱们爷儿俩，现在已经到了生死关头。”

马林生自言自语，若有所思，“她可说话就要来了，再不当机立断生米可就自个熟了。”

“她跟你提要结婚的事了？”

“提了。”马林生斜眼看看儿子。

“你怎么说？”

“我还没想好哪。”

“甭对我介绍的对象不满意，你自个找还不一定比这强呢。现在这状况你也不是不知道，差不多可以说是没好人——没好女人了。”

“我们真是要结婚了，你住哪儿？”马林生问儿子。

“我不住这儿。”儿子沉着地说。

“你得搬到外屋来和铁军同住，那这屋里可就窄了，要不你就去住小厨房让铁军住外屋。”

“她家不是还有房吗？”

“对对，倒是可以往一块儿换换，要不然就先住她家，她家房宽，多咱俩也不碍的。”

“到时候再说吧。”

“没时候啦，这就到了。她下礼拜来就要商量这事了。”

“那我告你，我可不搬，我还住咱的老家，你可以一个人过去住。”

“那怎么成？不成的，你还太小，一个人住你就是能照顾自己我也不放心呀。贼听说了还不全来？”

“我不是一个人住，你过去可以把铁军换过来，我们俩住一块你们俩住一块儿。”

“你们俩加在一起也是孩子。”马林生蓦地反应过来儿子的用意，顿时气得语不成调，“嗯，这是你们俩早计划好的吧？”

“这不是挺合理的？大家都方便，省得前夫前妻的孩子关系不好处。”

“你他妈是不是早就想把我嫁出去，好霸占我的房产？”马林生大吼。

“你这是什么话，把我说成什么了？”马锐的用意被揭穿，不禁也脸红了。

“这是你们俩谁策划的，嗯？是不是你想出来的损招儿？从一开始就是有预谋有组织的？”

“没有，我们只不过是想让你们新婚不受干扰……”

“过去，你们老师说你阴险，我还不信，现在我看你真是不像个学生，你，你，你真可以算得上诡计多端。”

“哎呀，算了，你要不愿意就算了，就当我没说过。你不嫌烦，愿意跟我们一起住，那就一起住好了。”

马锐转身要走，被马林生一把拉住。

“你说说，我怎么碍你的事了？你这么嫌我多余，非要撵出家门……而后快。”

“爸，您怎么这么不开眼？”

“我哪点做得不够？你还要我怎么做？可天下哪还有第二个爸爸像我这么对你的……”

“又来了，烦不烦呀。”马锐翻着眼白看天花板，不耐烦地说，“没人撵您，您自个怎么心理这么阴暗呀？就为一句话……”

“一句话？你这句话让我寒心。”

“好，那我收回。别闹了，爸，已经很晚了让邻居听见。没人搞阴谋迫害您，不过是几个方案中的一种，犯不上发这么大火。累一天了，咱都洗了睡去吧。”

马锐再次挣脱欲走。

“你可以走，你去睡吧。”马林生在后面说，“但我必须告诉你，你明天就去学校告诉铁军，他妈和我的事就算吹了，让他妈下礼拜不要来了，理由随你怎么说。”

“这怎么行，爸，”马锐转过身焦急地说，“这事和那事没联系，您别因为我和铁军着火殃及他妈那池鱼。”

“怎么，你还想包办我的婚姻吗？哼，她是池鱼？就算她没和你们串通一气，经过这事，我也一百个看她不顺眼。”

“您不能意气用事，铁军他妈确实不知情，她完全是无辜的。”

“这么说，你们确实是有预谋的？”

“我不承认我们有预谋。不过是我们几个人在一起议论，要是我们中有谁有房能自己住就好了，这样大家去玩也就能少受点大人限制了。”

“你想把我这儿变成黑窝子？做梦去吧！我拆了它也不给你住。”

“没说你不好，跟你住别扭，你怎么就不明白呢？”

“让你的美梦和那谁他妈见鬼去吧！”

“你是不是有点失去理智了，爸爸？冷静点，你这么钻牛角尖地想下去会把自己弄疯的。”

“滚，滚开我跟前儿的。”

“你照照镜子，看自己是不是红了眼。”马锐想开句玩笑。

“啪——”马林生一个耳刮子重重地扇到儿子脸上。

马锐的笑容顿时凝固在脸上，挨了打的半边脸像膨胀发酵的面团渐渐肿了起来。

“看你可怜让你几分，你倒爬到头上作践起我来，上次是打，这次是骗、撵、骂，再不治你，你下回还不要了我命！”马林生骂着骂着哭起来。

马锐也委屈地抽抽搭搭哭起来。

| 第十二章 |

那天夜里，父子俩的吵闹持续到半夜，激烈的说话声低一阵儿高一阵儿荡在小院里，甚至传到了寂静无人的胡同外，终于惊动了邻居。

父子俩都显得既伤心又委屈，边哭边可着嗓门历数自己的苦心和对方的种种不是，一个大泪人儿一个小泪人儿各自拿着手巾不停地擦眼睛。

马林生几乎是从马锐落草时开始回顾，他如何给他喂奶、洗尿布，整夜整夜不睡抱着他走来走去哄他。他发高烧出麻疹时他是如何心急如焚深夜抱着他去医院看急诊，由于休息不够身心交瘁，第二天上班路上竟一头昏倒在十字街头。这些年他又当爹又当妈牺牲了自己的全部爱好和业余生活，像个长工似的为他辛苦劳累，逼着自己学会了做饭洗衣缝补等全套娘们儿活计。特别是最近这一段时间以来，他主动放弃了自己的特权和地位，降低了身份，真正把他当做伙伴、朋友而不是一个无知的小孩来对待——这一切都是为了什么？他质问：

“都是为了谁？”

然后又自己给予回答：“不正是为了让你生活得更幸福，更无忧无虑？”

转而既是问儿子又是问自己：“我为你做了这么许多换来的又是什么？”

随即泣不成声，伤心得无以复加，任夏氏夫妇百般劝慰，仍泣咽不止。他满腔悲愤地大声诘问：

“你还要我怎么样？我还要怎么做才能使你满意？莫非定要看到我肝脑涂地变成你的儿管你叫爸爸你才罢手？”

哀莫大过于苦心孤诣不被体察，一腔企盼终成泡影。

“你说我这么做是想图什么吗？”他拉着夏氏夫妇的手流着泪说，“你们也是做父母的，你们应该懂得我。我是想给自个制造个新派的好名声吗？我不就是为了让他，我的儿子不要像我这样——长大之后不要成为我这样的人，如此度过一生！”

马林生看着儿子轻轻说：

“我把心窝子都掏给你了，可你还在笑……你太年轻了，这一切你得来太容易了，你根本不知道一点没有时的滋味……也难怪，你怎么会在乎呢？”

马锐开始一直在哭，后来看到夏青来了，便止住了泪，换了一脸冷笑。

当父亲历数他为他所做的一切以及他的忘恩负义时，他初还为自己辩解：我知道你为我作了许多牺牲吃了许多苦头，我都记着呢并没有忘也明白你做这一切是为我好。怎么会忘呢谁能忘得了父母的恩惠？

父亲的眼泪甚至几次打动他，使他负疚。

后来，这种历数变成一种无休止的唠叨，变成了一种反复强调的丑表功，一种意在使对方从道义上感到理亏从而突出自己高尚的肆无忌惮的自我表白和自我夸耀，马锐不再仅仅为自己辩解了。

他指出父亲为他所做的一切再多也不能称之为行侠仗义或无私奉献。这一切都是他分内的事，应该做的，任何婴儿都不是自己要求出生的！因而抚养孩子使他们健康成长乃是父母的天职——否则那才是禽兽不如呢！同时也是一种刑文有名的罪行。你见哪个工人、农民做了他们的本职工作，尽了他们的本分譬如炼了钢种了庄稼嚷嚷着要格外得到感谢？解放军战士在保卫祖国的战斗中英勇牺牲他们要求了什么？什么时候开始人们每做一件该做的事都要听到一声谢谢？

“你生我养我不是放长线钓大鱼吧？”他大声对父亲发问，“不是像资本家到咱们国家来投资老百姓到银行去存钱或者去保险公司投保想着总有一天能捞本再大大赚上一票吧？”

“当然不是！你把我想成什么人？你怎么能把你父亲想成如此可耻……”

“我并没有向你讨债，但你也别弄得好像我欠你多少似的。”

“我什么时候说你欠我了？你自己不要那么虚弱好不好？不要对自己的尊严那么敏感好不好？你真那么不自信以为我一天到晚想的就是怎么摆脱你？你发怒时就显得高大、正确了？”

马林生在儿子的连串诘问下萎缩地低下头，“我知道，你从心里，从来都是瞧不起你这个爸爸的。”

“你从来就不能正确认识自己！”马锐高声嚷。

泪水从儿子双眼再次涌出。父亲的委琐、自卑如同他的蛮横、狂暴同样令他厌恶。不管怎么说，瞧不起自己的父亲只能使儿子内心更痛楚，尤其是这一念头由于父亲的所为愈发使打消它成为不可能。

马林生完全被儿子怒视他时的狰狞嘴脸惊呆了。他没想到儿子竟会对他说出这么一番大人都很难说出的骇人听闻的话，讲出这么一通他当孩子时闻所未闻连想都不敢去想的道理。这道理是那么冷酷，毫不留情地将他所做的一切可以称之为功绩、功德的东西一笔抹杀。正是这道理中所包含的那些虽然冷酷但接近事物本质的东西令他惊惧不已。

看来他不是第一天想这些事了，他的的确确在成长，以令人瞠目的速度在成长，就像一只虎崽子已开始向人龇出新长出来的獠牙了。

马林生震惊得已无心再哭。

“你怎么可以这样对待我？怎么可以这样对待你的父亲？这是生你、养你的父亲啊！”马林生嚷。

“嘁——”马锐牙疼似的抽了抽嘴角，半边脸痉挛地抖了一下，转身进了里屋，“全白说了。”

“——他怎么可以这样对待我？”马林生如痴如呆地扭脸问夏家夫妇。

他脸上流露出的一个父亲丧子般的悲哀与绝望，令所有为人父亲者为之黯然神伤。

夏青亦不忍再睹。她似乎也为马锐的行为感到羞愧，似乎不肖的是他们全体，她红着脸抽身逃也似的离开了马家。

“儿子就是狼，这你应该明白，长大了必要踹窝，”夏经平不知如何安慰才是，脱口一句民谚。

“他从前不是这样，他从前是个懂事的孩子……”马林生兀自喃喃自语，盲人似的摸索着在桌边坐下。他的心像遇到侵袭的蚌壳紧紧夹在一起，血液似乎都不流动了。

“他怎么会变成这样？什么时候开始变的？他的样子真可怕，我都认不出他了……”

“谁造成的呢？”夏太太在一边冷笑着问。

“是啊，谁造成的？”马林生一脸茫然。

“你自己！”

夏经平忙拽了下妻子的衣角，夏太太一巴掌打开他的手。

“都闹到这份儿上了，还不肯说实话吗！”夏太太气呼呼地冲马林生说，“现在知道什么叫种瓜得瓜种豆得豆了吧？你前一阵儿不是挺得意的吗？让我们大家都向你看齐，都跟你一样和孩子交朋友论哥们儿。”

“难道我错了吗？”

“你错没错咱们看事实。你先不把自己当爸爸，孩子怎么能尊重你？孩子毕竟是孩子，懂得什么好歹？平时一天三顿地给他讲道理他还备不住要出点事，这回可好，大撒把没人管了，那他还不上房揭瓦？乱子出在孩子身上，根源可在你那儿。”

“该怎么说怎么说，”夏经平开口，“林生，你跟孩子玩的那一套真是有些造次、欠考虑了。”

“你是一时痛快了，气象万千了，闹得我们孩子也不服管了。我一说她，她就回嘴：你瞧人家马锐的爸爸。净拿你来压我们，搞得我们两口子暴君似的。我早对你有意见了。这么干不行。一家之内要没个规矩，不分尊卑长幼，那还不乱了套？怎么样，你现在也尝到苦头了吧？孩子真跟你没大没小的拿你当他的小朋友一样对待你也感到不舒服了吧？你这叫咎由自取——话说回来，你们到底为什么吵得这么厉害我还没闹清呢？”

“是啊，到底为什么呀这么你死我活的？”夏经平也问。

马林生闻言一愣，他也一时想不起是为什么了，光顾使劲哭使劲吵使劲生气了。片刻之后倒是想起来了，可一旦想起又发现这起因实在微不足道，实在有些无聊，事情小得都不好意思向外人道明。

“事儿倒不大。”他吭哧吭哧吞吞吐吐地对那两口子说，“其实要说都不算个事儿。”

“由微见著。”夏太太语重心长地说，“小洞不补，大洞吃苦。孩子的事没小事，一举一动都对他将来品德的形成有影响。苗头不对就要及时教育，防患于未然。你们马锐我看也快成小流氓了。”

“呃，不不不，这话可说重了，他还不至于。”

“瞧他对你说话那态度，我看不是也差不多了，往那儿努力了。跟父母说话就跟对敌人似的。这要是我儿子，我打死他都不心疼。要这样不孝的儿子有什么用？你也是，光知道哭，你的手呢？长手干什么的？就不会举起来狠狠扇他还是个大男人呢！”

“不不，这不能怨他，他本质上还是个好孩子，一定是受了什么人的坏影响，看了什么坏书，受了坏人的教唆。”

“可怜天下父母心，他那么气你，你还替他辩护——那更不能看着他滑下去了！”

“是的，我一定要追查。”马林生神色凝重，一种使命感和责任感油然而起，他神圣地说，“我这一段光关心他的生活，对他思想有所放松。其实我还很不了解他，不知道他每天都在想什么干什么，怎么能真正掌握他呢？”

马林生本来是随口那么一说，意在使夏太太对马锐的看法不要那么偏激，儿子再不好，也是自己的，让人家说成流氓，做父母的也不见得光彩。但回过头来仔细一想，似乎确有迹象，越想越觉得像。孩子是一张白纸，人之初，性本善，肯定天生是个好坯子。家教嘛，那就是指自己的榜样的作用，他自问自己还是一个小节有疏大节无亏的人。加上平时也很注意，搞什么名堂都背着孩子，不给他知道，应该说不会给孩子什么不良影响——他怎么会给自己孩子坏影响！剩下只好到社会上找因素了。到无以计数的别人身上找原因了。

他不能想象这是总有一天要降临的劫数。

即使他想到了，他能认了吗？

要回复到过去很容易，似乎一个巴掌就能把两个人全扇回从前。但那是人过的日子吗？一想起那时儿子对他的冷漠、格格不入他便感到一阵寒栗。那比儿子冲他无礼地叫嚷更令他恐惧。那才真是孤家寡人，势将陷入永久的孤独，又不是什么伟大的、超于世道俗识的孤独。

如同一个放荡的男人终有一天厌倦了以狎妓慰藉感情。

他实际上是陷入了两难，进退维谷。既不愿倒退维持现状他又做不到，儿子也不肯去做。你瞧他这些天对爸爸的那副嘴脸，处处与他作对，事事挑他的刺儿，动辄冷言冷语，只要他一接茬儿，立刻交火，并迅即升级，成为一场有关大是大非的激烈辩论。儿子总摆出一副据理力争的样子，侃侃而谈，父亲应该是什么样，应该如何行事。孩子又有什么特点、天性，应该如何关照。一二三四五六七，谈得头头是道。并一再在他瞪眼欲暴跳未跳之际，以手加肩低声告诫，“君子动口不动手，发怒正证明你理屈词穷，你有理你说服我呀。如果你承认自己无理，那我允许你揍我，打不还手，骂不还口。”

气焰极为嚣张。

父亲倒并非觉得自己理屈词穷，只是真感觉理论准备不够，理论修养太差，书到用时方恨少！有理讲不出来。而且由衷地发现任何真理都具有两面性，都是那么模棱两可，似是而非。就像一块石头任何人都可以捡起它来向对方掷去，只要是飞行方向冲着你，哪怕这块石头是你刚排出的肾结石，也一样六亲不认地打你个头破血流。

讲理，如果是两个懂理的人，无异于两个娘们儿同扯一块被单各执一端，无论你用多大劲，最多把一块被单一撕两半。

没有谁是被说理说垮的，要整谁……得有材料。

情况迫使他紧急行动起来，明察会过早暴露，他决定先从暗访入手。

马林生苍老多喽。

“夏青，你知道我们马锐平时都爱和谁一起玩？”

“您不知道吗？就是那阵儿常来你家打扑克的那几个我们班的男生，您不是也跟他们一起玩过？”

“除了你们班这几个男生就没别人吗？”

“您是问他都认识谁还是常和谁在一起玩？认识的当然不止这几个，咱胡同就有多少孩子？”

“他是不是和那个叫铁军的关系特别好一点？”

“当然，他们都快成一家子了嘛。”

“别开玩笑。夏青，你怎么也学着跟大人打趣儿了？”

“他们关系是挺好，其实马锐跟谁关系都挺好，他在我们班挺有人缘儿。”

“跟你呢，也挺好？”

“您瞧，我不跟您开玩笑，您倒跟我开起玩笑来了。”

“说着玩，我是怕马锐有时欺负你。”

“那倒没有——我也不是好欺负的。”

“就是说马锐和那个铁军关系特别密切？”

“这看怎么说——他们是哥们儿，我这么说您懂了吧？”

“懂了懂了……这铁军人怎么样？”

“干吗呀？您是跟我作家庭调查哪？您问他妈去呀，他妈还能不知道自个孩子的性格？”

“做妈的，说自己孩子，肯定一百个好，不客观。我就想听听你的看法，你们也是同学，都了解，而且我发现你这孩子看人还很有眼力。”

“您别夸我了，我看过谁有眼力让您发现了？”

“反正女孩子看男孩子眼光都要准确点。铁军调皮吗？”

“怎么说呢？还不能用调皮这个词儿形容他。”

“怎么，他还挺乱？”

“不不，他挺老实，在课堂上从来不捣乱，也不和人打架。但心里特别有主意，谁说什么他也不听，算蔫有准儿吧——这点倒跟你们家马锐有点像要不臭味相投呢。”

“哼，我看我们家马锐才没准儿呢，整个一个马大哈，二百五，让人当枪使。”

“这你可说错了。马锐让人家当枪使？他净拿人家当枪还差不多，他在我们班男生里还是个小头领呢，好多男生都听他支使。”

“他能支使别人就说明有人支使他。”

“这算什么逻辑？马叔叔，您都能去破案了。”

晚上，马锐一出去，马林生就后脚鬼鬼祟祟地跟出去。门也不锁灯也不关还开着电视假装临时出去上厕所以备马锐突然折回。他没学过跟踪，但惊险片侦破片看了不少，贼头贼脑的样子倒学了个皮毛。知道利用树木、电线杆、墙拐角做掩护，低眉敛眼，时而徐行时而撒腿便追时而蹿进路边的别人家院子——一切就看儿子的走路姿势了。

儿子十有八九是去铁军家。跟了几天实在也没必要再在路上惊心动魄了，估摸着时间差不多，直接扑到铁军家找就是了——准在。

马林生听了几回墙根儿扒了几回窗户，所获甚微。儿子和铁军以及其他孩子不过是打扑克、聊天、看电视，唯一称得上是“罪行”的，也就是有时手里夹根烟。看不出暗地里在策划什么针对谁要搞点行动。他们谈话议论的人，那些令他们感兴趣的人都是环球上叱咤风云的人，根本数不上马林生，就像他们生活中没这个人。这令马林生既失望又有点委屈，我就那么不重要吗？有几次他甚至有心捡块砖头砸碎玻璃，好让屋里的人注意到他。

一次他忽然听到屋里有人提到他的名字，他的耳朵一下竖起来，就像听到宣布得奖的名单中有自己。他踮起脚尖往窗户里看，见一个他不认识的孩子正问马锐：

“你爸还成天那样啊——受了多大委屈似的？”

“甭提他，提他干吗？”

说这话的是铁军，马林生简直恨透了他。

“要说我爸那人，人倒不坏。”马锐说，“也挺新潮的。”

孩子们都笑了。

马林生不觉汗颜，他接着往下听。

“他比好些我认识的大人，比我们街坊那些汉子婆娘，老实说，铁军，包括你妈——强多了，懂事多了。他要不是我爸，那真是没挑了，我还真能跟他做个朋友，忘年交——可他偏是我爸！打不是，骂不是……咳——我也真拿他没办法，只能哄着……”

马林生听得又气又感动，一方面觉得儿子挺实事求是；一方面又觉得儿子不知天高地厚涉嫌恬不知耻。

“我倒希望他在窗户外边听着，那样好些话我也好出口了……”

马林生吓了一跳，正在转身就逃还是静观事实两可之间，猛听到有人压低嗓门吼了一声：

“窗下是谁？”

马林生立时就有无地自容之感，恨自己没有蹿墙越脊的飞贼本领，只得硬着头皮举着手从阴影里出来，嘴里一个劲表白：

“别嚷别嚷，是我，两手空空——没刀。”

待看清面前站着的警觉地瞪着眼将手中坤包高举脑侧作随时掷出伴尖叫状的是齐怀远——齐女士，便顺势说道：“……我在等你。”

“等我？等我干吗不站在明处？鬼鬼祟祟藏在旮旯我还以为是流氓想劫我呢。”

“屋里一帮孩子我儿子也在——我怕他们看见。”

“你不是不想再见我，何苦又来招我？”齐怀远镇定下来，旋即幽怨，“……这几天我刚平静了点。”

自从那次“吻别”之后，他们再未见面。想必是马锐已把话传过去了，在约定的日子，齐怀远没有露面。尽管马林生至今仍认为自己做得对，但单独面对齐怀远，他还是有些惭愧，他毕竟是个极善良的人，就是逛商店见到售货员笑脸相迎而自己一件东西没买都觉得对不起售货员，有很强的负疚感。

他乐意作出某种姿态使受到伤害的齐怀远心理多少平衡些。

他垂着头一言不发，磨磨蹭蹭地往外走。

可能是他那副失落、茫然、痛恨的样子太逼真、太活灵活现令齐怀远实在于心不忍，毕竟她也是个极善良的人，于是她用一种恨爱交织无可奈何的口气长叹一声：

“唉，你呀——进来吧！”

她原谅他了。

大概齐怀远也过于相信她那双幽怨的眼睛的威力，进了屋始终那么盯着他。

“你想说什么，你就说吧。”

“我受不了你的就是你那愚蠢的自信——你凭什么！”马林生面带愠色，他想尽快结束这无聊的把戏。

出他意料，齐怀远并未像皮球似的一拍即跳，反倒更加幽怨，甚而有几分不好意思的羞涩，十分虚心地问：“还有什么？”

这一问倒把马林生问愣住了。

“其他方面呢？譬如说我的品德，我的操行……”

“其他方面……当然，你的品德、操行无可挑剔，谁也不能说你是坏蛋。”

“那好，我改就是了。”齐女士蛮有把握地说，“从今往后，我不自信了，这你没什么可说的了吧？”

“你……改得了吗？”

“没问题，说改就改。”齐女士轻松地说，“不就是自信吗？好改。那么，既然问题已经解决了，下礼拜咱们是不是该恢复礼尚往来了，把你欠我那顿饭补上……瞧，我多么谦虚地征求你意见。”

“你的问题解决了，我的呢？我就一点毛病没有？您就瞧我这么顺眼？”

“你当然毛病很多……”

“说说，说说，我可不见得说改就改。”

齐怀远笑嘻嘻地，“今天先不谈你的问题，留待以后你的缺点好改，都不用你费心，我就能帮你克服了。不算事不算事……”

“可我根本就不爱你。”马林生一咬牙嚷出来。

“哪个要你爱我了？”齐怀远纳闷地看马林生，扑哧一笑，“你可真有意思，都想到哪去了？”

她看到马林生十分苦恼的样子，笑吟吟地走过去，抚着他头发关切地说：

“你就是为这事苦恼啊？你可真傻，像个孩子。我根本就没打算让你爱我。我有自知之明，我已经不年轻了，早超过会让人爱的年龄。不讨厌我就行了，或者心里讨厌嘴上不说能跟我和和气气地把日子过下去也可以……用不着自欺欺人。不会让你为难的。”

马林生倒有些感动。

第十三章

“马锐，能不能劳驾你跑一趟？”马林生下班回家便疲惫不堪地倒在沙发上，声音虚弱地对儿子说，“我今天不舒服，想吃点‘天源酱园’的咸菜，自己又懒得动。”

“可以。”马锐懒洋洋地站起来，摘下网兜，接过父亲递过来的钱，走到门口换鞋，“我伺候您，想吃什么尽管说话。”

“谢谢啊。”马林生把自己放倒在沙发上，闭上眼睛微微呻吟。

马锐出了门，丁零当啷地把自行车推出院子，一路铃声地走远了。

马林生噌地从沙发上站起来，精神抖擞，像只大型猫科动物，双眼灼亮地蹑手蹑脚直扑里屋。

他来到儿子的三屉桌旁，先拖过书包，把里边的课本、作业簿一摞摞掏出，飞快地检索，挑出两本包着书皮儿的小说，坐下仔细翻阅。

那是两本不同套的武侠小说，讲的尽是除暴安良的英雄壮举，他看了几页便没兴趣再往下看了。撂下书又掀开铅笔盒，看了一眼将其盖上。

他低头逐个去拉抽屉，两个没上锁的里边净是些儿子小时候玩剩的破烂儿，玻璃弹球、旧电池、坏钢笔，还有一些废日历和明信片。他拿出一副到电影院看立体电影发的纸板墨镜戴在眼睛上东张西望，然后摘下放回抽屉。又拿出一个上弦的玩具电话，拧了拧弦放在桌上，一按键子“铃——”电话铃清脆地响了起来，他摘下话筒放在耳边，严肃、声音浑厚地说：“喂喂，我是老马呀。”随后把话筒放回机座。他发现这部玩具电话是个存钱匣子，里面有些钢镚儿，便捧起晃了晃倾听里面的硬币发出的稀里哗啦声，又闭起一只眼从投币孔往里窥探。玩了半天，才去拉那只上了锁的抽屉。

上了锁的抽屉没有钥匙除非撬锁。

他四处乱翻找钥匙，找了几把钥匙逐一去捅锁眼儿，不是完全插不进去就是插进去转不动，他气恼地把钥匙扔了一桌面。

他到外屋找来一截铁丝，弯了弯，伸进锁眼拨弄，徒劳地使了半天劲儿仍无法打开。

“中国这锁怎么都做得这么结实！”

他扔掉铁丝愤愤地骂了一句。他站起来，伸了个懒腰，像个一无所获的小特务不死心地环顾四周，看还有哪儿遗漏未搜的。

他看到儿子挂在门后的一件夹克衫，三步并作两步，赶过去伸手就往兜里掏。

这时，他警觉地听到身后有响动，惊恐回头，见儿子正拎着一网兜瓶瓶罐罐的咸菜冷峻地看着他。

那场面真是尴尬极了，他的一只手还深深地插在儿子衣裳的口袋里，活像一个小偷在掏包时被事主当场擒住——连手都没来得及拔出来。

他脸红了，红得像国旗的颜色，“你，你怎么这么快就回来了？”

话一出口他就恨不得咬掉自己的舌头，十足的不打自招嘛！

“嫌我回来快了？”儿子扫了眼扔了一桌子的玩具，“玩得挺过瘾，忘了时间了吧？”

“我……”

“手快拔出来吧，那姿势真不好看。”

马林生一脸羞愧地把手缩回来，看了看手里攥着的东西：一点零钱，两块口香糖，几团废纸，又放回儿子夹克衫的口袋。

“什么时候学会的这手？这是第几次了？”

“头一回，我发誓这是……”马林生倏地发现这么回答有误，这不是在派出所，而且……连羞愧、脸红也不应该。他沉下脸，作庄重负责状：

“怎么啦，爸爸检查一下你的东西不行吗？我想看看你是否还在偷偷买烟抽……”

“我要是你我就编掏你兜是为了帮你洗衣服。”

“哪个掏你兜了？不要讲那么难听嘛。”

谎言既已戳穿，索性公开进行，以示目的的光明正大和原本有恃无恐。

马林生走到桌前大模大样地坐下，又翻了翻那些已被他检查过的东西，伸手向儿子：

“把这个抽屉的钥匙给我，我要检查里边的东西。”

“马林生，你知不知道有人权这一说？”

“不知道！”马林生干脆地回答，“我只知道我对你有责任，有监督、有教养你的责任！你有什么？你的一切都是我给你的——包括你的生命！人权？你还少扯这个！从法律上说，你还属于对自己的行为没有能力负责，跟精神病区别不大的那类人。

你干了坏事，责任还得我替你承担，不管你行吗？”

他还越说越来劲儿，越说越振奋，越说越理直气壮了。

“把钥匙拿来——我在行使我的职权。”

“我干什么坏事了？”

“我正在调查，同时也是防患于未然。”

“马林生，今天你不把派出所的警察叫来，把我铐走，你就甭想要到手我的钥匙！”

“你以为你不给，不配合，我就没办法了？告诉你，我手段多着呢。”

“我也告诉你，今儿你要敢撬锁，我就去报案。”

“我今儿还非撬给你看！看谁能为此把我抓起来——谁敢！”

马林生说着便发力猛拽抽屉，悬挂的小锁像只摇动的铃铛剧烈抖动。

“啪——”马锐把一瓶酱豆腐摔碎在地上，褐红的卤汁流了一地犹如一个人的脑袋被履带碾碎脑浆四淌。

“反了你啦！”马林生勃然大怒，“你必须对自己的行为负责！”

马锐笑嘻嘻地说：“我没行为能力，我不能对自己的行为负责……”

“啊，你主动来了，很好很好，你不来我也正要去请你呢。”刘桂珍老师一见马林生跨进办公室的门，便笑着大声说。

“我这次来是想了解一下马锐在学校的近来表现。”马林生找了把椅子坐下，神情沉重，“怎么，李老师不在？”

“嗯，现在我是马锐的班主任，领导上派我去管他们那个班。”

“噢，好，那我就跟你谈。我觉得马锐这孩子近来有些表现不大对头，出现了一些很不好的苗头，我希望能和学校老师共同配合，找找根源，看看怎么才能纠正过来。”

“你才发现他苗头不对？我早发现了，从我一接手当他们这个班的班主任我就发现了。”

“怎么，他老毛病又犯了？”

“那倒不是，他倒是学聪明了，对我不敢不尊重，但一种现象掩盖着另一种现象。他表面是对我尊重了，但骨子里，那些不良品质并没有得到改正，又用另一种形式从其他方面不断地露出头来。”

“刘老师，我觉得马锐这孩子还不能说是品质不好，主要是受了一些社会上的不良影响，包括一些不良的人……”

“我说的就是这个意思。孩子是单纯的，社会是复杂的，社会上的种种错误思潮和不良影响有多少算多少都会反映到我们学校来，反映在我们学生身上，马锐就是活生生一例嘛……”

“据我的分析，马锐的问题主要是交了一些坏朋友，被这些坏朋友带坏了。”

“毫无疑问，我早看出来了。一个人交的都是什么朋友这很重要，好朋友互相赛着进步互相帮助互相灌输谆谆身教获益匪浅……坏朋友也会互相影响比着落后一个人不敢干的事大家一起哄——就干了！”

“我对铁军这个孩子很有些看法……”

“你算说对了，一针见血！我也早看出铁军这个孩子不简单。”

“您能具体说说您的看法吗？”

“他跟马锐打得火热，两个人下课总爱在一起，班里要出点事儿也总有他俩的份儿，狼狈为奸……你分析得对，马锐要受了什么坏影响，一定就是铁军的坏影响。”

“铁军这孩子到底表现如何，是好是坏？”

“这个孩子的特点是貌似老实，有很大欺骗性，不少老师都被他迷惑了，认为他表现不错。李老师在的时候就曾让他当过班干部，我一上任就把他撤了。我对同学们说：‘不是老师不尊重你们的民主权利，而是老师比你们见得多，分得出哪些人是真能为班集体做好事，哪些人是以伪装骗取大家信任……’我早看出来了，现在听你一说，我心里更有准儿了。”

“他到底，他那些欺骗性到底表现在哪些方面？”

“这个嘛……一言难尽，主要是感觉：这个孩子很老练，就是说很油，待人接物都十分客气，礼仪周到，像个商人，说不出来那劲儿，反正不舒服，一句话，不像个学生！孩子就像个孩子的样儿，该调皮调皮，调皮其实并不招人讨厌，可他，你简直挑不出他哪点不好……”

“这正说明他骨子里不定隐藏着什么呢！”

“没错没错，一个孩子怎么那么成熟？大人还有时说话不注意做事做错了呢……”

“除了感觉……”

“当然也有事实。你们马锐不就是个事实？铁军如果真像他表面表现得那么好，马锐怎么会那么坏？除非是从娘胎里带来的。”

“……”

“我认为首先要做的是，先把这俩孩子拆散，不许他们搞到一起。这两个人凑在一起，我就老觉得他们在议论我。有时在课堂上，这两个人远远相视一笑，我就总怀疑我哪个字又念错了，结果本来没错倒错了——做到这点要由你作为家长来下命令，我这方面可以考虑把铁军调到其他班去，不给他们混在一起的机会。”

“我很感谢学校的配合，不过我要下命令不许他们接触，最好还有一些实实在在的、证明他跟铁军混在一起确实没好处的证据。

你知道现在的孩子，你拿不出有说服力的东西他就不听你的……”

“实实在在的东西有哇。”刘老师说着从自己办公桌的抽屉里拿出两本书，“这是我在课堂上从马锐和铁军手里分别没收来的《红楼梦》二三卷，小小年纪就看《红楼梦》，还有心思学习吗？净给女同学写字条了。”

马林生接过书一看，立刻汗颜，这是他的藏书，扉页还盖着他那方藏书印，阴阳篆文的“书痴老人鉴阅”六个字。“书痴老人”是他于某个百无聊赖的春夜为自己取的雅号。

“这‘书痴老人’也不知是哪个教唆犯？”刘桂珍老师说，“我正准备追查。”

“正是鄙人。”马林生惭愧地承认，“这一定是马锐从我的书柜中偷取而来，私下传阅。”

“是您，这是您的书？”刘老师大为惊讶，“您也看这种书？噢，对了，您是书店的，所以家里书多……”

“多而不精，多而不精……”

“老马，这可不是我批评你啦，你也太粗心大意了。这种书怎么能让小孩随便看到？看这种书很容易学坏的……”

“那是那是……”

“咱们想让孩子长大成为什么人，一定要心里有数儿。从小就要让他们向三种人靠拢，一个是高尚的人一个是有道德的人还有一个是脱离了低级趣味毫不利己专门利人的人。”

“从现在做起从现在做起。”马林生连声应诺，“从我做起。”

刘老师手托腮愁了一会儿，旋又眉开眼笑，“没关系，书是你的，但铁军要是不向马锐要求，他怎么会借给他？他为什么单借这本书？这算不算一种暗示？一种潜移默化的影响？他为什么不制止你看这种书反向你借？”

“没准正是铁军想看这本书才促使诱使——唆使马锐去偷的！”

马林生豁然开朗，他和刘桂珍相视微笑，二人摩拳擦掌，分头昂首而去。

马林生和刘桂珍在校门互致同志般的紧紧握手，刘桂珍还亲热地对马林生附耳喊喳，引起马林生会意娇嗔的微笑——这一切都被趴在教室窗户的马锐、铁军和夏青看在眼里。

“你爸爸怎么跟她搞到一起去了？”夏青不解地说。

上课铃响了，孩子们纷纷回到自己的座位。马锐脸上有一种不可遏制的狂怒，他的嘴都因之歪斜了。

同座的夏青不断偷眼瞅他，望而生畏。

马林生穿着带披肩腰间扣带的风衣和雪亮的尖皮鞋，像个蓦然闯进门来的不速之客一步跨进屋里。

他的眼睛习惯屋内的昏暗光线后，看到坐成一排的孩子们像一群在窝里被堵住的狼崽子，个个睁着亮晶晶的眼睛望着他。

“你们都出去。”他威严地对铁军、夏青等人命令。

孩子们动也没动，他们似乎决心抱成一团。

“请你们都离开！”马林生尖叫。

夏青勇敢地回答：“我们是来找马锐的。”

“找谁也不行，我要你们走，你们就必须走，这是我的家！”

“夏青，夏青，快出来。”夏太太在外边喊，“你回家。”

马锐站起来，对朋友们说：“你们走吧，我没事，他不能把我怎么样。走吧，都走。”

他再三劝朋友们。

孩子们一个个低着头往外走，经过马林生身边时不看他一眼。

“都走，都走，再也不许来了！”马林生挥舞着胳膊嚷，“都不许来了！”

孩子们陆续走了出去。夏太太在外边埋怨夏青，“你怎么那么傻，人家爸爸教育孩子你挡什么横儿？”

“你管不着！”夏青厉害地冲她母亲嚷，“都是你们这帮大人教唆的！”

“快回家——你也反了！”夏经平出来嚷。

夏青委屈地哭泣，“告刁状，马锐有什么错儿？”

马林生把屋门哐地关上，大步走进里屋，指着上锁的抽屉伸出手对马锐说：“把钥匙给我！”

马锐不吭声。

他立刻毫不迟疑地拿出早已预备好的钳子、改锥连撬带揪把小锁连同锁鼻儿一起扯下来，抽屉的木框都给撬劈了，裂出白花花的木茬儿。

他哗的一把拉开抽屉，由于用力过猛，抽屉一下脱离了屉轨，他索性拎着抽屉往地上一扣，然后把空抽屉扔到一边。

抽屉里净是些日记本、转学到外地的同学的来信和孩子们出外游玩时的合影以及两本精美的集邮册，还有一包开封的香烟和一只打火机。

“香烟没收了，打火机没收了。”马林生边说边把香烟和打火机揣进自己兜里。

然后逐张察看孩子们拍的照片，挑出几张他认为姿势下流荒唐的撕得粉碎，“这些照片也不要留了，活像小流氓。”

他把孩子们之间的通信都拆开一封封仔细看，有些他认为流露了不健康情调的同样一撕两半或揉成一团扔到一旁。

接着他开始看那些日记本，他读了几页发现这些日记都是儿子刚上小学时记的，字写得歪歪扭扭，都是些日常生活的流水账和看了电影逛了公园后的充满幼稚的感受。那时他还没有离婚，孩子的日记中经常写到妈妈，既没有赞扬也很少批评，只是很客观地表述妈妈出现在某一生活场景中：“妈妈在厨房做饭。”“妈妈对我说天冷多穿件衣服。”“妈妈和爸爸说话，他们都笑了。”日记中记录了一些他和妻子的简单的对话，记录了一些当时他们一家三口的饮食起居以及出外游玩的情景。句子相当简单、平淡甚至不乏语病和表达障碍，读上去干巴巴的，但字里行间透出一种平和、无忧无虑的温馨气氛。他们当年显然有一段时间过得相当美满，幸福犹如阳光的味道在翻抖开来晾晒的被子上强烈地散发……这一切他都忘记了，似乎上面记述的是不相干的另一家人的生活，读来恍若隔世。

马锐在父亲的整个抄检过程中始终一言不发，很冷漠地双手插在裤兜里坐在大床的另一边观看，只在父亲撕他那些照片时眉间才轻微搐动了几下，似乎那些光滑相纸上分布着他的神经。

父亲检查他的集邮册时，也从上面撕下了一些有女人妖艳形象的邮票。他不禁温和地指出，这些邮票都是父亲收集并传给他的并非出于他的欣赏。

“近来的呢？这几年你写的日记呢？”父亲手拿着最后一本在数年前便戛然而止的日记抬头问他。

“没写。”儿子回答，“我早就不记日记了。”

“为什么，记日记是个好习惯干吗不坚持？”

儿子冷笑。

马林生也觉出自己问得愚蠢，他摔掉日记本站起来，开始到儿子的枕头底下和褥子下面层层掀翻。他怀疑儿子已预先清理过，转移了最重要的会引起麻烦的东西。

他从枕下褥中又搜出几本小说，都是描写成年人隐秘生活和内心的小说明显儿童不宜。这些书他在家也是秘密阅读，不知何时落入儿子手中。

“你怎么能看这些书？”他拍打着缴获的图书大声呵斥儿子，“这些书你还看不懂完全不该看，看了只能受坏影响，可你还居然拿到学校课堂上去看互相传看难怪你现在这么不服管——你都给谁看过看过后你们都议论了什么？”

马锐看着父亲，就像看着一个外国人完全听不懂他在说什么跟谁说。

“瞧瞧，瞧瞧，你看的都是些什么书除了武侠就是言情。”马林生眼见继续搜查也无收获，便开始长篇训话，“读这些书对你有什么好处？谈恋爱嘛，你还早点，到年龄了再学习也不迟。还有那些武侠，净宣扬什么哥们儿义气为父报仇，一点小事就舞刀动杖，有问题为什么不找组织？公安人员都干吗去了？你们都练了一身本事，自己的事自己解决，那还要父母、老师干什么？看多了你还会把谁放在眼里？天山七侠昆仑三雄中你最佩服谁？”

马林生见儿子总不答话，自己也觉得侃不开，有问有答你来我往才易于进入最佳状态，便问。

儿子泥胎木塑一般，仍不开口，连听到问话的表示都没有。

他只得自己继续往下说：“没一个共青团员嘛，都是地主恶霸。应该多看一些描写英雄事迹的书，学学人家怎么做人的。哪一个不是生下来就志向远大？哪个不是爱祖国爱人民怜贫惜老勤劳本分循规蹈矩遵纪守法——舍生忘死前都是老好人儿。为什么我们不能像他们那样？我们也努力了呀，为什么总是赶不上人家前进的步伐？总是比人家英雄的境界差那么一截儿？雷锋王杰刚出来那会儿我就觉得已经到头了，谁想后面还有更好的。不能不佩服人家那爹妈会养孩子。我们这些孩子怎么一不留神就俗了，一不留神就堕落了，一不留神就成王八羔子了——王侯将相宁有种乎……”

马林生说着说着就陷入了自言自语，自嗟自叹，自怨自艾。他猛地醒过来，看了一眼儿子不觉来气：这小子怎么就那么不争气！恨恨地指着骂：

“就你给群众这印象，赶明儿就是抱着炸药包把哪儿炸了，也没人为你闻讯痛哭，十里二十里山路赶来祭奠——什么东西！”

马锐绷不住，扑哧乐了。他忙又挂起脸，似乎很为自己缺乏毅力懊恼，生气地面朝墙。

马锐这一乐，马林生也有些得意，觉得自己挺有语言天才，本来是很容易讲得干巴巴的道理，竟被自己下意识地讲得那么生动、俏皮、引人入胜。他像听到观众掌声一样，愈发眉飞色舞，滔滔不绝了。

“我说的是不是这么回事？很多人吃亏就吃亏在平时给群众印象不好。其实很清白，其实坏事倒比其他人干得少。历史上又有多少英雄豪杰，本来属于挺身而出甘冒天下之大不韪结果成了独夫民贼。关键倒不在生死关头那一下，我不鼓励你见马惊就拦见有人掉粪坑就非纵身而入。一个人做点好事并不难，难的是一辈子做好事——关键在于平时夹起尾巴做人。”

马锐对马林生嗤之以鼻。

马林生对儿子的态度毫不介意，“想死很容易，要活好了可是难上加难。我说了这么半天，就是让你知难而进。小时候一定要学好，哪怕假点，违心点都没关系。长大了再学坏……不不不，再学得狠点也不晚——学坏还不快吗？”

马林生说得十分动感情，他不禁伸手去摸儿子的头。马锐躲开他的手，依旧无动于衷。

“该说的我都对你说了。”马林生声色俱厉地对儿子说，“不该说的我也说了，包括那些丧失原则的话。你不要再听不进去了！不要再执迷不悟，一味顽固、糊涂下去了。你要不是我儿子，我才不会跟你说这些，让街上那些自以为有个性的小子们去碰壁吧。”

马林生一本正经地坐到儿子面前，掰着手指头数给他听：

“你听仔细，从今后，第一，不许你再看乱七八糟的课外书，想看什么书，必须经过我批准，只能看我推荐的书；第二，不许你再和铁军来往……”

“为什么？”听到此事牵涉到自己朋友，马锐终于开口了，“铁军怎么啦？”

“这个孩子不好，对你没有好影响。”

“他怎么不好了？谁说他不好了？”

“谁也没说，我这么认为的，据我平时观察得出的结论，他是个坏孩子。”

“你以为我就不是坏孩子了？”

“你怎么能这么自暴自弃？”

“铁军要是坏孩子，那我就是坏孩子的头儿。我们无论干什么事都是我出的主意，我想的点子……”

“你不要替你的坏朋友掩盖……”

“笑话，我掩盖什么？我才没有鬼鬼祟祟地去跟踪别人，偷偷翻别人东西，去搞串联，搜集材料……”

“放肆……”

“我都不知你怎么想的？噢，别人家的孩子都是坏孩子，只能带坏你的孩子。你的孩子就都是好孩子？实话告诉你，要说谁对谁有坏影响，铁军他妈更有权利这么说我！”

“那你们就是坏到一起去了，更应该把你们拆散！这件事的争论到此为止，按我说的做，今后不许你再去找铁军玩也不许他再来找你。”

“我偏去！”

“那你就试试看，看我怎么惩罚你。下面接着说第三条：今后不许你再管我叫名字和老马，改回来还是叫爸爸……我看你近来也是忘乎所以了，不但叫我的名字，还动不动就跟我顶嘴，很不像话……”

“那是你自找的。”

“我本来是想看你是否自觉，现在看来，你一点也不自觉，所以我不能再这么放纵你了，这样下去会害了你。”

“别说那么好听了，你是嫌我在别人面前丢你的面子挟私报复。什么话都让你说了,好也是你,歹也是你,怎么说都是你有理。”

“不要讲了！这三条你听清楚没有？能不能做到？”

“没听清，也做不到。除了最后一条，前两条我拒绝接受！”

“你为什么非要挨一顿揍，皮肉受苦最后还得接受，为什么不能痛痛快快的——你怎么就这么贱？”

“我也有三条，请你听清，”马锐站起来，斜着身子手插兜对父亲说，“第一，退还无理没收我的东西；第二，承认未经我许可翻看我的东西是错误的，并向我道歉；第三，保证今后不再发生类似事件，不再干涉我的一切正当交往……”

“你怎么就不明白我这是为你好！”马林生嚷。

“你怎么就不明白我根本不需要你为我好！”儿子也用同样的嗓门冲父亲喊。

| 第十四章 |

马林生吵累了，也有些饿了。看到窗外天渐渐黯淡下来，才想起饭还没有吃。

“先吃饭，吃完再接着说。”他离开里屋，匆匆去厨房备饭。他觉得自己近来气血损耗，因而下完面条又为自己和儿子各煎了两个鸡蛋，又切了一盘西红柿撒上白糖，连同热腾腾的面条端回屋。他很为自己的手艺骄傲，如此快又如此简单地为自己搞了这么一顿看上去还过得去的晚饭，美中不足是还缺少一点绿色，他不厌其烦地又折回厨房，拍了两根黄瓜拌上蒜泥和芝麻酱。

他满意地搓着手去里屋喊儿子：“少爷，出来吃饭了。”

儿子坐在凌乱、狼藉的床上低着头一声不响，昏暗中他的身姿、面目都很模糊，似乎仍挂着一脸冷笑。

“怎么，饭都不想吃了？都伺候上桌了，还等我喂你？”马林生提高嗓门，伸手一拉灯绳，把灯打开。

屋里的一切瞬间变得清晰，颜色纷呈同时又格外丑陋、刺眼犹如粉壁上的弹孔触目惊心——儿子眼泪汪汪地注视着被践踏散落一地的心爱物品。

“回头我帮你收拾——先吃饭。”马林生说。

“不，”儿子冷冷地扫他一眼，“你要饿你吃吧，我不吃了。”

“饭都不吃了？都做好了……”

“说不吃就不吃——你别烦我了！”

“爱吃不吃，真他妈不识好歹。”马林生愤愤地甩手离开。

他自己坐到饭桌前，拿起筷子开始大口吃。他小心地把菜都划出一半，自己靠着一边吃，边吃还不时地朝里屋喊：

“再不吃面条可就坨了啊！再不吃我可就全吃了！”

他把自己的那一半又拨了点归给儿子那部分。

“真香啊，真好吃，真傻，生气不吃饭，这是跟谁过不去呀。”他有意把黄瓜嚼得咔咔脆响。

里屋传来纸张的窸窣声，儿子在整理被搞乱的本册信笺。

马林生越吃越生气，脸也不禁沉了下来，腮侧的咬肌清楚地凸现，一下一下有力地扯动。

他啪的一下摔下筷子，把饭碗一蹾，他也吃不下了。

“你到底吃不吃？”

里屋仍没人应声。

“有本事你一辈子别吃！”

“我就一辈子不吃，给你看看。”儿子手里握着一堆清理剩下的废纸团从里屋出来，扔到墙角簸箕里，经过饭桌旁一眼也没瞧桌上的饭菜。

“你这是跟谁示威呢？”

“跟我自己。你不是总嫌养我亏了，从今后我不吃你的饭了。”

“那你吃谁的饭？谁给你饭吃？”

“没人给我就活活饿死，饿死不吃……嗟来之食。”

“嗬，你还挺有骨气，吃了我十多年了，这会儿不吃嗟来之食了……”马林生从兜里摸烟，掏出刚才没收的儿子的那包烟。抽出一支叼在嘴上，另一只手摸出儿子的打火机点燃。那烟显然放的时间长了，抽起来十分干呛，“你把吃我的都吐出来。”

“将来我会还你这笔债的，等我能挣钱了。”

“只怕你还不起。”

“只要你能计算出来，不管是美元还是人民币我就还得起——我做牛做马也还你！”

“你到底要干什么！”马林生一激动，被一口烟呛住，连声咳嗽。

“只要你不答应我向你提出的那三条，我就不吃饭！”马锐平静、坚决地说。

“我看你能坚持多久。”

“那你就等着瞧吧……哼哼。”

“水喝吗？”

“你少开玩笑，我是认真的，说到做到。”

“你威胁谁呢？你还少来这个——”马林生嚷。

马锐拔腿大摇大摆往里屋走。

马林生一跃而起，飞身一把揪住他，拖了回来，把他按坐在桌子旁，“今天你必须吃饭。”

他使劲把儿子的头往饭碗按下去，马锐双手撑着桌沿儿，用力挺颈，紧闭着嘴，虽然脸都贴到了已经冰凉的面条但坚持一口不吃。

马林生一松手，他像根弹簧似的从椅子上弹起来，脸湿漉漉的憋得通红，一溜烟跑到门后抄起一根长把笤帚。

“你要干什么？”马林生喝道，“还想跟我动手吗？”

马锐竭力忍着泪水，小小的喉结咕噜着上下滚动。

马林生向儿子一步步走过来，“你想动手打你的父亲吗？”

马锐把笤帚撒手一扔，用胳膊一下蒙住眼，双肩一耸一耸地剧烈抽动。

马林生停在原地，他的眼圈儿也红了。

“我希望你还是把饭吃了，有什么话吃完再说，不能不吃饭！”他声音嘶哑地说，走到桌前端起碗，“面条凉了，我去给你回一下锅。”

“不用。”马锐放下胳膊，眼睛红红带着浓重的鼻音说，“热了我也不吃。”

马林生哐地把碗往桌上猛地一搁，大口吸烟，满脸怒气，“你还要我给你跪下……”

“你不用，你也别生这么大气。”马锐走过来对父亲说，“你有办法让我听你的话。你不是会打人吗？你打我呀？一打不就解决了吗？今天我让你打够、打饱、打好，我肯定不经你一打。”

马林生气得浑身哆嗦，手颤巍巍地扬起来，又软绵绵地垂落下来。

马锐哭着把脸凑上去，“你打呀，你打呀，你把我往死里打呀。”

马林生眼泪也扑簌簌掉下来，“我才打过你几次，你就记了仇——我什么时候真打过你？”

“对，哪回都是我把您逼急了——哪次都是我不对，我找打！”

“我不跟你说了，你走吧。”马林生踉跄地扶着桌子往一边挪，“我不是你亲爸爸，是你的冤家仇人，是成心想方设法要置你于死地，你快逃了我这儿吧。”

“我也没那么说呀。”儿子泪流满面。

“你就是这意思！”

马林生独自坐在深夜顾客寥寥的小酒馆里喝酒，门外马路不时驶过载重货车，车轮颠簸的隆响和马达轰鸣震动着摆在柳木桌上的玻璃酒杯和一盘花生豆。通过敞开的门，可以看到近处和远处更高耸的楼厦黑魆魆的身影，一些霓虹灯在大厦的顶部孤零零地闪烁,字迹模糊。门外停着一辆平板车、两辆摩托和几辆自行车，车轮的镀铬瓦圈在酒馆橱窗泻出的灯光下闪闪发亮。

马林生端起拇指大的酒杯又将大半杯清亮得如同银子的烧酒一饮而尽。

这酒已不像刚入口时那么灼烫、辛辣了，变得绵软、光滑，香气馥郁。酒流下肠壁犹如雨渗旱地，所到之处滋润有声，青苗芳草舒茎张叶如梦方醒充满生机嘴里兀自可以品咂草苗穗饱满多浆的无穷甘甜和腥津。马林生愈喝愈觉得神清目朗，愈喝愈觉得通体剔透，愈喝愈清澈，愈喝愈晶莹，有如月光照空潭渐至忘情渐至无我……

时光在他的脑海中徐徐倒流，一个个久已湮灭的往日情景，如同死尸枕藉的战场上的幸存者，在寥廓苍凉的天地间默默地爬起来神情黯淡地站立在他们倒下的地方……

那时他还很健壮，妻子也风韵犹存，他们还在一起生活。那时他们的矛盾已经白热化，每天不是互不理睬就是互相辱骂，除非互不理睬否则便是吵骂。他们甚至不能互相对视一眼，一旦目光相遇脸上的表情便迅即变化，由反感至轻蔑至恼恨至深深的憎恶最后终于睚眦欲裂。妻子给他留下的印象，永远是一副生气的模样。她最后的一点光鲜之色都在日复一日的争吵中迅速凋谢殆尽。由于总是处于激愤和不屑中，她鼻翼两侧深深刻下了两道永久性的虎须般的皱纹，这使她的脸衰老又残忍，甚至连笑都带着刻毒——他大概也是在那段时间步入中年的。他想不起那时马锐的神态，不管如何努力回想，那充满恶毒气氛的场景中似乎永远没有儿子的身影，只有他和妻子两个疯狂的人在互相啮咬。儿子一定是躲在了他们看不到的地方诸如门后屋外，他会因无法忍受又不得不忍受而饮泣吗？由于儿子的不在场他无从揣摩他的感受。他会记住当时他所听到的一切吗？也许他在他们视野之外的某个隐蔽的角度自始至终都在目睹……

那时他堪称风华正茂，自我感觉相当好，妻子也正是成熟动人、注重修饰的年龄，他们俩常常被邻居街坊称赞为天造地设的一对儿。那时他们还算和睦，虽有小龃龉但都适可而止，尤其是当着外人，他们都小心翼翼地注意给对方留面子。那时他们偶有争吵也都是彬彬有礼地讲理并非指责，即使一方过于唠叨或小题大做，另一方也能毫不别扭地容忍、接受。那时马锐还很小，刚刚戴上红领巾，母亲在修饰自己的同时也总把他打扮得干干净净。那时他们三个人是一个整体，同行同止，无论吃饭、聊天、看电视，总是聚集在同一个场景中，即便某人临时出画，声音也总是传过来，继续参与着在场的其余二人的共同话题。妻子的神态相当平和，就是在抱怨某事也纹丝不改如同她光滑无皱的脸，而且她愈是对某事格外不满神情语调愈是委婉甚而至于在平和之上更加入一点体贴，一丝微笑，一种颇含鼓励的敦促。马林生清晰地记得儿子每当此时的样子，如果母亲的批评是针对他，他或是置若罔闻，或是强词夺理，但最后往往是故作无可奈何地接受了母亲的建议；如果抱怨的矛头是对着父亲，那他便笑嘻嘻地完全以一种观战的态度左瞅一眼母亲，右瞧一眼父亲，有时还帮拙于辩解的父亲找两条可以应付的理由——父亲的表现几乎与儿子毫无二致……

那时他头发蓬乱、骨骼粗大肚子上没有一点脂肪，上了年纪的人见了他都要叫他一声“小伙子”。而妻子则完全像个姑娘，脸上永远布满无法消退的红晕如同刚经过剧烈奔跑或是因为某件事某句话的害羞，尽管刚生完孩子，但身材依然苗条，以致每个人得知她已做了母亲的时候都要大吃一惊。那时他们相当恩爱，其炽热犹如初恋。那时他们连一眼也不愿落到别处，像涂了强力胶水一样两个人的目光紧紧黏在一起，分开都要付出巨大的、撕心裂肺般的毅力，都要忍受剧烈的揭皮去肉般的疼痛。他们无时无刻、没日没夜地都在渴望触摸对方，仅仅握一下对方的手，或用嘴唇轻触鬓发，都会使他们热血沸腾几至站立不稳。语言对他们已失去了重要的意义，他们都像是通了灵似的仅仅一个微笑一个乜视都能破译出无穷无尽的含义和信息……那时马锐还在蹒跚学步；那时他的头和身体比例只有五分之一，是个水果般的孩子，脸蛋像只苹果，眼睛像两颗黑葡萄，嘴唇红得既像樱桃又如草莓；那时他还在咿呀学语，喝水要用奶瓶，睡觉嘴里也要含着个奶嘴儿；那时他夜夜尿床，白天也要人把着吹着哨儿才能把尿尿进尿盆……

那时他吃的一切食物都要搅到糊状，榨成浆汁。

那时他手小得只能握住带柄的摇铃，常常为了抱住玩具熊失去重心扑倒在地。

那时他只能扶着小床的栏杆才能站稳，还不能分辨物体的颜色，格外喜欢凝视色彩鲜艳、飘飘荡荡的气球。

那时他连坐都坐不稳，要四周堆满枕头才能煞有介事地环顾左右，目力所及之处皆为新鲜有趣、闻所未闻的东西。

那时他连翻身都没有力量，一觉醒来只能安静地仰视，目光如豆，稍有不耐烦便哇哇啼哭。

那时他终日酣睡，像只小猫一样闭着眼睛，脖颈柔软连头也抬不起来，抱在手里娇嫩得似乎稍不留神就会弄坏了连指头都不敢动一动——那时他就是一团粉红的肉……

犹如一颗湿淋淋的头突然从海里冒出来，一件已在生活的激流中被冲刷得无影无踪的往事异常清晰地出现在马林生的脑海中，就像发生在昨天。

一群人围着一个摇篮喜形于色地边看边议论，虽然他不能逐一辨认这些人都是谁，但他清楚地知道都是他的亲属和关系密切的朋友。摇篮里躺着个裹着襁褓的婴儿，他的眉眼虽与现在的马锐迥然不同，但马林生明白这是他的儿子。他在人群中找不到自己的身影，但他又确在观看这个婴儿，他的视野几乎不受限制不受屏蔽犹如天使翱翔在人间天上。他甚至嗅到了当时屋内的真实的奶味和尿臊味儿以及周围男女身上的毛线味、香水味儿。屋内熊熊燃烧的火炉散发着温暖，他裸露的皮肤有一种舔吮般的惬意。这烘及全身的惬意使他愈来愈放松，愈来愈欣快，愈来愈恍惚……周围的一切：景、物、人以及喊喊喳喳的议论都渐渐远退、模糊、低细，而摇篮里的婴儿则被拉近、放大、突然成为他眼中唯一清晰可辨、颜色鲜艳的东西，充满全身心。

他感到自己正在体验一种前所未有的激动，一种亢奋，类似慷慨赴义的悲壮；一份深沉，顿感任重道远的毅然决绝。当他发现泪水涌上了他的眼眶，他蓦地冷静下来犹如在愤怒狂乱中听到了一声枪响。他继续看着这个娇小的婴儿，几乎是不带任何感情冲动地对自己发下了一个誓言：

“我一定要让这个孩子幸福，哪怕为此我要受尽屈辱，饱尝痛苦。只要我活着，我就永远不让他知道人间有饥馁、苦难和种种不平。我不许，绝不让我曾经受的一切在他身上重演——哪怕为此断送自己！”

他好像不光是这样想，在想的同时也把它说出了口，因为在场人都把目光投向他，那一双双眼睛都在看着他，看着他……

马林生眼含热泪皱着眉头像是在忍受身体内部突然袭来的不适，他握着酒杯的手在微微颤抖，这十余年前的誓言至今想来仍使他热血沸腾。

他在什么时候，哪一年哪一月哪一日哪一小时哪一分钟把这个誓言忘记的呢？一想到他竟把这个誓言忘记了这么多年，忘记得这么彻底，他不禁毛骨悚然。

他真的只有采取这种方式才能使儿子幸福吗？他的特殊关怀究竟是促进了儿子的幸福还是使他尤为不幸？

他感到羞愧，他不能原谅自己。他想到用动机良好为自己辩护，但这念头一出现，他便惶悚地叫出了声，这一念头迫使他进一步自我审视因而更清楚地洞悉了自己内心的隐秘的龌龊——他最了解自己是出于何种考虑才如此行事。

他感到窒息，像被人用手捂住了嘴，身轻如燕心载千钧。他想喊，但用尽全身力气也张不开嘴，那两片薄薄的嘴唇犹如两块沉重的钢板被焊在了一起。他想抬手招呼别人，但手也似僵了一般没有知觉，握着酒杯如同粘在上面动弹不得。他整个身体瘫痪了，连脖子也不能转动，只能泥胎木塑般地呆坐着，哀怨悲苦的眼神向周围的人发出呼救的信号。

小酒馆里有不少男人在兴高采烈地喝酒，大声说笑，谁也没注意到窗边那张桌上的那个孤单男人的不正常。一个女服务员路过那张桌时看了马林生一眼，似乎吓了一跳，但也没能理解他注视她的含意，移开目光连忙走了。

两个喝完酒的男人起身趔趔趄趄往门口走，经过马林生身旁时，一个醉汉碰了他肩膀一下，嘴里咕噜着“对不起”继续往外走，这时只听身后哗啦一声，马林生连人带凳摔倒在地上，手里还紧紧握着酒杯。

马林生在吐、搜肠刮肚倾其所有倾其所能地吐。他不能躺下，只要头一后仰就立刻感到天旋地转马上要再吐。他或站或蹲，一腔一腔的秽物源源不绝地从他口中喷出，一波未平一波再起，几乎使他无喘息之机。他吐得大汗淋漓，大小便失禁，似乎交感神经麻痹全身各口的括约肌都已失去控制。他赤条条地站在厕所里，吐一阵儿拉一阵儿，拉一摊吐一片，所有的肠壁都在痉挛，飞快地蠕动，分别把胃、肠残留物自下而上、自上而下地排放出去。一阵阵寒噤掠过他的身体，他咬牙闭眼狠狠甩头地打着激灵，在呕吐间歇中大声哎哟哎哟地呻吟。那无法克制每每使他几欲昏厥的喷涌与下坠泻尽后，他又同时感到一种难言的尽情发泄的快意和舒展，这使他的心情错综复杂，且悲且喜，又爱又怕。他像迫于无奈的窑姐儿一样闭着眼睛忍受一次次扑上身来的肆无忌惮的蹂躏，又在战栗与麻木中等待着下一回合的到来。当这一切终于结束，他再也没有什么可吐的，只剩下一阵阵打嗝般的干呕，他感到无比的轻松与失落，心绪恬静，一时不知身在何处。

他在公共厕所里又倚墙歇息了片刻，然后弯腰提起堆在脚踝处的双层裤子重新系在腰间遮住下体。衬衣已经腌臜不堪，不能再穿了，他揉成一团抓在手里，光着膀子摇摇晃晃地走出公共厕所。一个提着裤子慌慌张张来上厕所的男人与他擦肩而过，只听那人一进厕所便像跳踢踏舞一样吧嗒吧嗒把鞋跟跺得山响，嘴里惊呼：“这是谁这么缺德！”

马林生疲倦地微微一笑，无所畏惧地继续拽步缓行。外面月光如水，他的头脑渐渐清醒，只是思路仍不断被一阵阵眩晕打断。他压抑着恶心告诉自己要忍耐仔细地过分精明地辨认着回家的路。

马锐在屋里听到父亲进院时一路踢踢腾腾的脚步声和沉重的喘息声，便在被窝里闭上眼。可过了半天，仍不见父亲进门，心中疑惑，不禁悄悄下地掀开窗帘一角往外看。这一看便吓了一跳。月光下，父亲像个枯树桩似的笔直地站在台阶下，耷拉着头，似乎走着走着便站住睡着了。再看他的脸，比月光还惨淡，犹如涂了白粉的哑剧演员在夸张地做着一个受难的形象。他连忙开门迎出去，低声问道："你怎么啦？"

父亲歪着头抬眼朝他一笑，这一笑令人毛骨悚然就像一个白痴的笑。他闻到父亲身上的浓臭酒味儿，知道他醉了，忙上前搀扶。马林生在儿子的拐棍作用下才勉强能抬起脚，迈上台阶。他像一个从死牢里越狱逃出的囚犯，虽然摘了沉重的脚镣，但走起来仍然是蹒跚的螃蟹步。

"给我倒杯水，小心，别把暖瓶打了。"他在屋内的沙发上坐下，为了表示自己没有丧失理智，唠唠叨叨地千叮咛万嘱咐，举止极文雅态度极客气脸上浮着一层自认为很自然实则相当僵硬的笑容。"我想洗把脸，劳驾你给我拧个手巾来，脸盆多倒点开水，再倒，再倒点儿……谢谢。影响了你睡觉，真抱歉，你去睡吧，我没问题……这灯光真刺眼，麻烦你把大灯关上，只开一个台灯……对，对，这样好，这样就舒服了……你睡着了吗？你接着睡去吧，别为我影响你，你明天还要上学……小心，小心别被椅子绊倒，从左边绕着走嘛，左边空边大……"

马锐看到父亲这副样子，心里十分难过，怨恨早就抛到九霄云外，里里外外地帮他收拾。

"你又上哪儿去喝酒了？搞成这样，何苦来着？"

"没醉，我只不过是稍微多喝了一点，吐了就好了，吐了就头脑清醒了。"马林生笑眯眯地说。

“你这么喝一次吐一次，很伤身体。”

“我不是老喝，我还是很有节制的，工作的时候不喝，心里烦闷时不喝，只在高兴的时候喝一点……”

“怎么，你今天高兴了？”

“嗯……为什么非得我，嗯，这么可怜，一副可怜相时你才肯接近我，啊，对我好点？”马林生含笑亲切问。

“你觉得自己可怜了？”马锐把父亲的脏衣服泡在一盆水里，又给他找出件干净衬衣。

“不要这件，我穿那件灰格小方领的。”马林生挑剔地支使儿子，“总而言之，有点狼狈吧。”

“不是我只在你可怜时才对你好，而是你只在这时才觉得我好。”马锐拎着衣服帮父亲伸胳膊穿进袖筒，“你在这时候才觉得需要我。”

“这么说不公平。”马林生系着扣子，“嗯，不过可能也有点道理。但你得承认，这时你确实比平常态度要友善。”

“扣子系错了，第一个扣眼扣到第二个扣子上去了——问题是您自我感觉比谁都好的时候您也不用我对您好——我也不敢哪！”

“对对，那就成巴结了。还有一点，人们总是同情弱者，对待病人、失去自理能力的人，人们总是要比对健康的能自我负责的人要客气一些，这也是个普遍心态。”马林生盯着儿子奸笑，“不过这也不是无限制的，久病无孝子嘛，要为这种同情心牺牲太多人们也不乐意。”

“你可以生场大病，考验考验我。”

“不不不，我可不敢冒险。”马林生连连摆手，接过儿子递过来的一杯新沏的酽茶喝了两口，“你想睡吗？你困吗？你要困你就去睡。”

"现在不困了，那点困劲儿都折腾没了。"

"那我就再说几句。"马林生捧着茶杯又喝了几口，找地方小心翼翼地放妥，"我想说什么来着？"他手一空随之茫然。

"我不知道你想说什么。你想说你不想生场病考验我。"

马林生用牙尖嚼着吸到嘴里的茶叶梗，苦苦追忆，猛地一拍大腿，满脸是笑，"噢，想起来了。"他看着儿子，"今天我这顿酒喝得非常好，喝了个明白。"

"是吗？您觉得您越喝越明白？"

"是的，完全正确。今天这顿酒使我想起了很多已经忘却的往事。"马林生低着头十分陶醉，"往事如烟啊，令人欷歔感慨都不已啊……"

"您小时候的事？"儿子问，"二两酒下肚就全勾起来了？"

"哪止二两，八两！几乎一瓶，全让我喝了。"马林生翘着拇指和小指自豪地说。他经这一打岔，思路也随之一拐，信以为真了。

"对，想起了我的童年，我在你这么大的时候……"

"苦吧？"

"苦！"马林生这回是真想起来了，"但苦中也有甜，比旧社会发大水的时候是强多了。"

"您说的是哪年的大水？"

"甭管哪年了吧，反正我是一回没赶上，你爷爷可是回回不落。解放这么多年了，一提起这事还浑身乱颤——吓的！"

马林生很少跟儿子讲他小时候的事，更很少提他当年那个爸，因而马锐很感兴趣。

"我爷爷，你爸爸，当年打你吗？"

"打，你爷爷的拳头可硬，当年是天桥玩跤儿的，要不是解放来得及时，没准儿就归了匪类，已经纺绸褂水晶墨镜穿戴上了。"

“那你怎么让这号人把你生下来了？”

“我也是身不由己，我怎么不想让刚进城的那大批的解放军把我生下来？那我也是干部子弟了，你也不用跟着我被人叫做胡同串子。”

“现在没人这么叫我。”马锐觉得父亲有些粗俗。

“是吗，改新词儿了？”马林生诡秘地乜视着儿子笑，“所以我理解你，我也是从儿子那儿过来的，知道给人当儿子的滋味儿。”

马锐不喜欢父亲跟他套近乎的那种带点下贱的鬼鬼祟祟的神气，才接话茬儿转问其他：“你爸打你次数多吗？”

“别打岔回头我又忘了我想说什么了。”马林生不耐烦地说，“你听我说了没有？我理解你，我，你爸爸——理解你！”

“听到了，你理解我。”

“你不感动吗？”

“感动。”

“我理解你了，你是不是也该理解我呀？”

“你理解我是因为你当过儿子，可我没当过爸爸我怎么理解你？你还得再等上十几年，如果我早婚的话。”

马林生闷了一会儿，点点头，“是，是这么个理儿，看来我还真没法跟你计较。”

“不过，你能理解我，我也很高兴。”儿子安慰父亲。

“真的？”马林生眉开眼笑，又来了精神，“你能这么说，就说明你还是多少理解了一点我。”

“不，我更不理解了。既然你理解我，为什么做事还那么做？还干那些事？”

“我不也是才理解的你嘛，喝过酒后。”马林生觉得自己好像忘了件什么重要的事，在喝酒的时候想起的一件事，找到的一个感觉。但他不能细想，一认真琢磨脑瓜就疼，只好顺着现成的思路任其发展。

“老实说，我觉得我很对不起你，过去虽然对你还可以但仍失之于粗暴，方式有些简单。你是小孩，可以做事不顾首尾没头没脑……”

“我什么时候不顾首尾没头没脑了？您说话别掐头去尾的……”

“你听我说完……可我是大人，我做事就要有理有节，光明磊落，我得给你做出榜样来。但我做出榜样了吗？没有，很遗憾。我总是把自己混同于一般小孩儿，跟你一般见识，这就有点不能严格要求自己了……我诚恳吗？我这么说诚恳吧？”

“诚恳。你往下说吧。”

马林生得意洋洋地往下说：“不瞒你说，我前一阵儿对你很生气，非常非常生气，你知道我为什么生你的气吗？”

“我对您不够尊重。”

“对啦，有几次你搞得我很下不来台。我不过就是说你几句嘛，你爱听不听可你偏要跟我顶嘴。你明知道我是个很爱面子的人你不是成心气我吗？你……好啦好啦，今天是我检讨，不谈你的问题。我对你很生气，气坏了，可以实话告诉你，我想整你——我今天可是把心里话都跟你说了，一丁点都不隐瞒，你瞧我对你够坦率的了吧？君子坦荡荡……我想整你，现在可以告诉你，我打算去找你们老师勾结一下，共同对付你。我还准备检查你的抽屉，你不是不给我钥匙吗？我撬开也要看，还当着你面撬，省得偷偷摸摸让你觉得手段卑鄙连带也显得我目的卑鄙……我真这么想了！幸亏我还有点理智，想来想去总觉得不合适，不像个文明的举动，否则，只怕你已经遭殃了……”

“爸爸，你酒醒了吗？”

“我现在不是很好吗？很清醒！”马林生笑着摊开双手周身上下打量自己，“我酒劲儿已经过去了，就是有点饿，家里还有什么吃的吗？”他东张西望。

“那我告诉你，你不但这么想了，也已经这么干了——都干完了！”

“我都干过了？”马林生手里拿着一摞饼干，嘴里含着一堆嚼碎的饼干渣子愣住了，“我真干了吗？”

“我一点不夸张，你真干了，现场还在那里。”儿子诚恳地说。

“我怎么会这么快就干完了？”马林生犹疑地自言自语，接着他恍然想起，把饼干扔进嘴里大口嘎巴嘎巴地嚼。“我是干了，这太过分了，我要向你道歉，隆重地道歉。太不像话了，我怎么能干出这种事，你当时为什么不阻止我？”

“您都忘了您当时什么样儿了吧？”

“我现在恍惚想起来了一点印象，我当时很凶吧？”

“应该给你拍张照片留念。”

马林生吃吃地笑，“我当时一定很可怕，我这个人凶起来还是很吓人的，可我不常凶，很少对人厉害。你一定吓坏了吧？给我讲讲你当时什么样儿？”

“我也就是不卑不亢……”

“但也没敢说什么。”马林生笑着指着儿子问，“心里骂了没有？我猜你心里一定骂了对不对？你肯定骂了你就承认了吧——你都骂了什么？”

“真的没骂。”儿子摇头，“我只不过觉得你很可笑。”

“怎么会可笑呢？我那么凶。”马林生有点不乐意，不大甘心地继续打听，“那后来呢？后来你怎么样了？除了不卑不亢一直也没吭一声就让我那么折腾了一顿？”

“您不是装的吧？”儿子察言观色，“真一点想不起来？”

“真一点都想不起来了，我现在脑子空空。”

“您要真一点都想不起来，那就别想了，把这事忘了吧。您不是已经道了歉？这事就算了，本来也挺伤和气的。”

“你不记仇吗？”马林生忧心忡忡地问。

“我还顾不上记仇呢，大概是夜深了，我也有点糊涂，都闹不准你什么时候是真的什么时候是假的。”

“别走别走，再聊会儿，正聊得起劲儿。”马林生拉住起身想回屋睡觉的儿子，“咱们就缺这么推心置腹地交谈。”

“我困了，明天还得上学呢。”

“再等会儿，我还有件事想告诉你，我怎么一下想不起了呢？”

马锐坐下，等了半天，问：“想起来了吗？”

“没有。”马林生苦恼地摇头，“睡吧睡一觉也许能想起来。”

夜里，马林生一觉醒来，果然想起了喝酒时的一切，可儿子已经睡熟。为了不再忘记，他一遍遍地在脑海中过细节，直到确信已完全烂熟，刻骨铭心，才昏沉沉地放心闭眼又睡过去。

第十五章

马林生一觉醒来，头疼欲裂，他感到脑浆像开了锅的米粥在沸腾、在冒泡，从四面八方往外扑溢；每根血管每根神经都在这种温度和压力下像琴弦一样绷得紧紧的，铿然作响；两侧太阳穴的脉搏如同坚硬马蹄有节奏地踢打践踏着他，似乎随时都有可能皮肉迸裂，整个脑袋如同一颗拉响的地雷轰然爆炸。

接连几天，他疼得死去活来，整个人完全成了行尸走肉，只有一个念头，头疼！其他思想一概停止。如果这疼的地方不是头，不是自己的头，任是什么他也肯定一刀把它切了。他终日捧着自己的头，搬不动，摘不下的，其苦万状。屡次动了轻生的念头，一想起孩子，一想起未竟的事业与生活，就又忍不住心软了。真是觉得自己特别可怜，特别不幸，活着活受罪，死又不甘心，难煞我也！痛煞我也！每每肝肠寸断，潸然泪下，于伤心动情处不能自已。

后来，也是一觉醒来，他的头不疼了，轻快多了，只是里边有点沉甸甸的，似乎脑浆都凝结成一个核，像枣核一样竖在脑中央。

他下地开始正常进食，行走，谈笑风生。

他发现自己依然记得那晚喝酒时的心理活动，对自己的记忆力很满意，看来并没受这场暴风雨般的摧残的影响。他想尽快找儿子倾诉一番，这事已经成了他的一个负担，如果不倒出去他就老得提着神儿想着它。但当他把那晚的心理过程和种种感想重新细细回忆一遍时，他惊奇地发现那些令他热血沸腾的认识包括那个誓言不那么动人了，尽管原话一字不漏但已不能使他激动了。就像一个老太婆虽然眉眼五官仍在但已没了血色没了光彩没了风韵，叫人不再爱慕甚至有些愧对她——一想起他曾那样激动他竟有些难为情。

是时过境迁少了那个气氛少了那份悒郁少了那股酒劲儿还是这场大痛之后他的性格变了？都有点！

那天晚上他是有点忧郁或者干脆说是脆弱，加上又喝了不少酒，更加伤感，因而很容易受触动被感染，平时不在意的事那时就很注重，一下就投入进去了。现在太平了，清醒了，冷静了，考虑问题全面了，自尊心啦身份感啦都回来了，像个被掀了王八盖子的乌龟又翻了过来，重新把那层硬壳又朝上了，当然又坚强了。

再有，经过那场大痛，他颇有死里逃生还魂阳世之感。他觉得自己就像死过一次似的，很有些看破红尘。人生不过如此嘛！大难临头哭都来不及，谁又顾得了谁？你对别人爱也好恨也好又能持续几日？到头来还不尽是一笔勾销？你一笔勾销了别人又在哪里？你既不知他又何知？如此一想，顿觉无牵无挂，什么话也懒得说了。

那几日，正是那个空前壮观的运动会以空前的成功进入尾声，最后辉煌了一夜就偃旗息鼓了。全国人民高兴得什么似的，又都有点意犹未尽。那个载歌载舞、焰火满空的告别之夜后，电视里开始天天播放各代表团下旗回国在住地在机场与中国官员和工作人员依依惜别的场面。

马锐那几日没少守着电视掉眼泪，像送亲戚似的目送着那些高矮悬殊胖瘦不一的各国运动员一拨拨走人，心头回荡着《何日君再来》的旋律。使他奇怪甚或有些不解的是，平素那么重感情，人家来时也是欢呼雀跃手拉手地迎进门的父亲在人家走时却完全无动于衷，那一幕幕动人的场面非但不能使他与天下苍生共哭一腔，反倒连连冷笑时而还对画面上的缠绵表演露出不以为然，嘴里念叨："什么呀什么呀……"

马锐好奇地问他："你平时不是挺好个热闹？就嫌节日少，家里来个查电表的，你还拉住人家说三道四想方设法挽留人家多坐会儿。今儿这么些人扔下亲热一股脑儿走了，你怎么一点不难过？倒像巴不得人家早走？"

"早走也是走，晚走也是走，谁还能不走？"马林生冷笑，"就是咱们俩，也没几年缘分了，一松手，便万劫不复，再见不上面了。"

"爸，您这情绪不对头啊。您最近又看什么邪书了？"

"你管我对头不对头，我不对头又与你何干？从今后咱们各自撒手，谁也别管谁了。"

"您肯定又看了一遍《红楼梦》。爸，这话怎么说的？我没怎么着呢您倒自个儿先中毒了按说您比我批判能力强啊。"

"什么叫中毒？我这是自个儿悟出来的。你不觉得怎么着那是你还迷在里边呢。你才多大？你又栽过几个跟头？"马林生甩手要走，大有一副参破人生不屑与争的旷达，"哈哈……"

"等等，等等。"儿子慌忙拦住他，又惊又惧地问，"您这是打算一甩手上哪儿？"

"哪儿也不去。"马林生回过头讥讽地看着儿子，"我真要走，你拦得住吗？”

“我觉得吧。”儿子横身拦在门口，“人贾宝玉那是温柔富贵，烈火烹油过来了。您，一个苦孩子，早早学他后半生，什么都没见着呢就是悬崖撒手……也忒不值了。再说，您也不见得像人家是个有来历的，去无去处——您上哪儿啊我问的是这个。”

“你何以见得我就没来历？”

“爸，咱们要自个骗自个就没劲了。”

“凡人都有个来历，岂有没来历的？”

“可哪儿来哪去也得有个时间表对不对？您到日子了吗？没到日子，您就熬不住自个先跑回去，也不得其门而入啊。”

“你这个小鬼还挺会做思想工作。”马林生扑哧一笑，“我哪儿也不去，就在院门口站站。”

他背着手站在院门口看了会儿过往的行人和飞驰而过的自行车，又转回屋里。

他一屁股坐进沙发里，拿起一支烟划火柴点着，笑着问儿子：“我要真一走了之，你是不是还有点舍不得？”

儿子相当严肃，“爸，您不觉得您这么大人有这想法荒唐吗？”

马林生骄矜地含笑不语。

“您想啊，您长这么大容易吗？这里渗透着人民的多少心血？您不是孤零零的一个人，您对社会是有责任的……”

“得得得，你少跟我来这套。”

“这可不是您平时教育我常说的？”

“那也就是跟你们小孩才这么说。”

“没想到你们大人这么玩世不恭。”儿子嗟叹，“我还以为人人都像我这么认真呢，我感到茫然。”

“你就别拿着那劲儿了，我都撕下脸了，你可还装什么？”

“您以为我一直是跟您装相儿呢？”儿子大惊，看着父亲，“您让我感到陌生。”

“行啦，儿子。”马林生怪笑，“别这么大惊小怪的。跟你端着架子讲道理你嫌我假，真跟你说点实在的你又被吓着了。”

“可是，可是我真没想到您原来是这么个人。”儿子惶恐、畏惧地盯着父亲，他看上去有点不知所措。

马林生冷笑，“我是什么人？好人！实话告你，就因为当了你爸爸，我才这么越活越不实在。你把我坑苦了，小子。从你记事那天起，我就没过一天像样儿的日子，没一天不勒着自己的，生怕给你留个坏印象。我哪儿是为自个活着的呀？我净尽责任了。你没想到我是这么个人，那是我把自个扭曲了！你大概都没想到我是个人吧……”

马林生乜视着儿子，儿子承受不住他的目光，低下头。马林生白他一眼，悻悻一笑。

“是啊，我在你眼里算什么呀？不过是一个父亲，一个符号。饿了渴了向我伸手，有麻烦有困难我就得替你解决，不管什么问题我都得有求必应。我既是你的宝葫芦又是你的万能钥匙还得宽仁体贴毫无怨言，否则就是禽兽不如，丧失人伦，法律也得制裁！”

“爸爸……”

“别他妈叫我爸爸，我烦了！我腻了！我累了！”

“你太颓废了，爸爸。”

“我没法不颓废，换你你受得了吗？我活得也太惨点了，想干什么没一件能得心应手地去干的，工夫全搭你身上了。我也是自找，我生你干吗！给自个树敌呢？”

“爸，您这话说得可有点出圈儿。其实当儿子也没您说得那么轻松，苦衷也多着哪，有一弊必有一利，您当爸爸不也当出不少的乐趣？我可以给您举例……”

“少说便宜话儿，现在叫我看，是弊大于利！你到我这位置坐几天试试，你给我当爸，我当你儿子，我玩几天……”

“您这话可越说越不像话了……”

“本来嘛，我这是实事求是，你也含糊了吧？”

“我不是含糊，是没这道理……”

“我保证服你管，绝不跟你顶嘴，我让你瞧瞧我这儿子是怎么当的，保准是个好儿子。”

“根本不是这么回事，您这不是让我没法做人吗？您要骂我，您就直接的，甭绕这么大弯儿。”马锐急出一头汗。

马林生瞅着他笑，“完了吧，知道这差使不好干？咱任人唯贤呀。”

“爸，您就别恶心我了。我知道您心里不好受，有苦说不出，可您再怎么不好受，也别这样要我好瞧的，我从今后听您话不就完了？”

“晚喽，儿子。不管你接不接任，我是决意引退，挂印而去，没人干，咱就让这职位空缺。”

“爸……”

“叫大爷也来不及了。我决心已定，谁也甭劝我。我怎么不知道舒舒坦坦的非给自己找罪受？非招人讨厌？我不会享受？不信你看着，我折腾起来比你会——玩过！”

“爸，您是逗我玩呢吧？”

“哼，你就等着瞧吧，我还说到做到，食言就让我变个大胖子。”

马林生撇下目瞪口呆的儿子，甩着两手轻松得意地扬长而去。

马林生醉酒头疼那几天，齐怀远来看过他，一见面就说：“是为孩子闹的吧？”

当场就令马林生有些感动，这女人竟是个明白人呢。从上次在齐家窗根儿被齐怀远薅住，经过那次交谈，马林生心中就暗自开始对齐怀远刮目相看。这次病倒在床上，别人都认为他不知自重饮酒过量纯属自讨苦吃，唯有齐怀远上来一句话便说中了他的心事，自此愈发敬重。每日在床上躺着就盼着齐怀远来说话儿解闷儿，有时齐怀远隔天不来还打发马锐去唤盼星星盼月亮似的。那齐怀远也真是不辜负马林生，谈起孩子，句句都说到马林生的心坎儿上，她一个女人拉扯孩子，当然是比谁体会都深。

“你说这孩子，你就算是父母身上的一块肉，可掉下来，就自个去活了，毕竟跟长在身上不一样了，你跟他生得起气吗？”

这一句话，差点没把马林生眼泪说掉下来，只在枕头上连连点头，“可不是，可不是……”

“你呢，老马，看着挺混的，可对孩子也是个痴心的——跟我过去一样。哪个父母又不是这样儿？”

“是啊，心说了，对谁不好对自个孩子还能不好点吗？”

“都这么想，这也正是人性——使然，越没良心的人这股劲儿就越足，就说我原来那口子，也是单位一霸，跟谁都没好脸，跟我就更甭说了，唯独对这孩子，想起来就哭，要不怎么离婚时我非掐他这心尖子呢？”

“都一样，我们原来那口子可不也是这么回事。”

“可话又说回来了，你对他一百个好，他未准能念你一个好儿，稍有差池，他恨你恨得牙痒痒的。”

“这也是。”

“没错！你能指着孩子有良心？咱们都是当过子女的，咱们清楚啊，看看咱们自己对老人那态度，咱们也就别傻了。我就算孝顺的了，没冻着饿着我妈，可我妈临去世那几年见了我就跟耗子见了猫似的。”

“可不，我爸那么一条硬汉，也是当了几年三孙子才咽的气。”

“逃不过啊逃不过！过去总觉着自个例外，别人赶上的自个就能幸免，可冷眼瞧瞧，没准下场还不如人家呢。报应得更快。这孩子还没长大就不听话了。规律啊，劫数哪，生活的大转盘啊，有一个算一个！”

马林生在枕头上呜呜咽咽哭起来，顺耳流下来的眼泪洇湿了一片，“我也真是不敢再抱幻想了，什么心机也费了……命运啊，你怎么这么残酷！”

齐怀远目光灼灼地看着马林生，“不信命不成，不认命不成。”

“我信了，认了。”马林生连连说，“我不再逆潮流而动了。”

“你不认也不成，何苦到死才明白？既然命定如此，不如及早脱身。他小时候，尚未成人，处处都要依靠你，你尽了养育之责也就够了。至于将来，他成龙成犬自有他自己的机缘。说到底，他是他，你是你，跟个外人也差不多——明白这点也就能坦然自若了，也就没有那么多烦恼了。”

“你这意思就是只管耕耘，不问收获？”

“差不离儿吧。他要有良心呢，等你老得不能动了，能常来看看你，说几句闲话，是个寂寞中的念想，垂死前的盼慰。他要没良心呢，权当没养过这么个王八东西。反正他迟早也难逃这个劫数，有人替你解恨。一点想法都没有，你才活得自在，这也算心底无私天地宽吧。”

马林生在枕上沉思。

“好好养着吧，别想那么多。”齐怀远站起来说，“自个先得活好，才能谈及其他。你是个聪明人，会明白这道理，你没对不起过谁，从来没有！你是问心无愧的。咱不充人家的眼前花儿，让别人多对自个负点责吧，得福得祸也怨不着旁人。”

“哎，哎，以后您常来开导开导我，省得我钻在套儿里退不出身——没想到您看着平平凡凡一个人，心里比谁都透亮，还真想得开。”

“实话告你，我要没这么想得开，我还能活到今天？早投河上吊多少回了。”

那天，齐怀远在家听了专程跑来向她汇报的马林生学说了一遍他和儿子谈话的内容后，立刻表扬他：

“这就对了，这说明你还明智。就怕你说说，过后坚持不了几天。像你这管惯了的，突然一下什么都不管了你还不见得适应，心还一下静不下来。”

“这回我是彻底下了决心，随他去，甭管他干什么，我要再多一句嘴我都不姓我这姓。”

“有决心就好。其实你们马锐也不小了，该让他自个管管自个了，别觉得什么都那么容易。”

“可不，我也是真够了，不跟他扯那个蛋了，操了心受了累还净不落好儿——我权当是离休。”

“这样好，享受父亲待遇，大小事一概不管，捅出娄子自己负责，没人给擦屁股了。”

“你说，我这么一撒手不管，他会不会真惹出点事？”

“瞧瞧，瞧瞧你，刚说了不管，这就又不放心了，到底是当父母的，就这么贱。”

“嘿嘿……”

“他会惹出什么事你也不想想？你家马锐还不是那种从根儿

上就坏的孩子，知道好歹。像咱们这双亲不全的家庭里的孩子，都懂事着哪。没了依靠，也更知道小心谨慎了。那无法无天四处闯祸的孩子哪个不是因为有个戳着仗着的？一走单不比谁都胆小？”

“但愿如此，那大家都省事了。”

“你那点小心眼儿我都知道，不好意思说你就是了。你前阵儿净嫌我们铁军带坏了你们马锐，不叫他们一起玩，其实哪的事儿啊？我们铁军要不算老实孩子就没老实的了。我都没怕你们马锐带坏我们铁军你倒怕起我们来了。”

“不提这个，不提这个，那时我不是鬼迷心窍吗？你得允许别人有糊涂的时候。”

“哼，我听人家传说你这么着，我难过了一夜，我们娘儿俩对你们爷儿俩那可真是肝胆相照，仁至义尽……”

“我寒碜，我惭愧，我无地自容，您教育了我。”

“光说说就完了？”

“小齐，我现在可是拿你当知音，咱知音和知音就别算老账了。”

“我是跟你算老账吗？我要打算跟你算老账——你欠我多了。”

齐怀远说着说着眼圈红了，低头不语，侧面看上去也挺有点招人怜爱，引人动情。

“我知道你那颗心是怎么长的……”

“行了行了，你不会抒情就别抒了。”齐怀远转过身对马林生说，“我不怨你，把别人往坏处想也是人之常情。我碰到比你恶比你损的人多了，你那两下子还真怎么不了我——无所畏惧。”

“我对你可……”

“你也别找补了。你对我怎么看，我能猜出八九不离十，你也用不着虚伪。咱们都挺大的人了，见过的不比谁少，没关系，我知道你现在对我比从前大概是不一样了。”

“我现在是把你当风尘知己。”

“行啦，你怎么说话就那么肉麻？我什么话都能听就是不爱听漂亮话。我这并不是为我。老实说，我比你过得好，也比你经得住事儿。好些搁你那儿是事儿的在我这儿都不算什么压根儿不往心里去。我这可不是追你下的套儿使的计，犯不上，有你没你我照过。我是把你当个挺可怜的朋友，希望你别太惨了，你们男的鲁劲儿是有，可要说韧劲儿真赶不上我们女的。”

齐怀远目光变得柔和了，语调也透出一种真诚的关怀，“好好安排自己的生活，我是说自己的。精神要没有寄托，你还会回到老样子的，有意无意去找别人麻烦，挑别人的刺儿。你需要个女人，即便不是我也应该在别的女人身上下下工夫。天下好女人多着呢，会有一个能让你看上的。我看过你的面相，你命里还是有个女人的。你不是一个能自己单独生活的人，需要有人做伴儿。别灰心，你不是一辈子总倒霉，你的苦已经吃到头了，你命里还有一段好日子。你是那遇难呈祥，先苦后甜的命。”

“我越来越确认了，”马林生缓缓地说，“你就是我一生在等的那个人。虽然你老了，虽然岁月无情地改变了你，使你颜面蒙尘，眼中含垢。但我越跟你接触，就越感到你身上有一种熟悉的东西，那是我在梦中在幻境中无数次勾勒过的，无数次描绘过的。现在，让我握握你的手，看那感觉是否正确，是否依然未变……”

马林生握住齐怀远那修长但已不光滑的双手，把她拉近，用眼在她的双眸深处仔细寻究。他看到的是由于过多过久地蒙受痛苦和心酸而黯淡无光的瞳孔，看到的是由于操劳和辛苦而发黄布满血丝的睫膜。这双眼睛早已失去了光彩不再明亮眼周围的皱纹密集犹如被旋涡裹绕，但他在里面依然清晰地看到了自己如同面对一尘不染的镜子。

他看到那双眼睛渐渐湿润，黑亮，像有一层水雾蒙住了镜面。他不知这水雾来自那双眼睛，只知道面前的一切都模糊了，影影绰绰。

他对这一发现悲痛欲绝。

那些天，马林生总是凝视齐怀远，看她的一颦一笑一举手一投足站姿坐姿和行走徐跑以及蓦然回首。几乎是以一种绝望的心情来尽力捕捉她残存的旧貌，以求证实自己并非由于恍惚和激动再次认错了人。她改变得太厉害了，他看得越仔细就越觉得陌生，他无法区别哪些特征是她固有的哪些是生活的痕迹。他试图用回忆少女 S 来作比照，可少女 S 模糊了，退远了，成了一个名副其实的苍白影子，无论他如何努力构想，那少女的脸庞总是远远地隐于暗处没有线条和细节。连想象也逐渐贫乏、狭窄，心里想的是少女 S，而脑海出现的则是更真实更鲜明的齐怀远。具有强烈现实形象的齐怀远完全取代了少女 S，封闭了他内心深处最隐秘最不为人知的角落，使其须臾不能展翅。惯于在黑暗中翱翔的蝙蝠终于坠落下来。

他只能面对齐怀远，对那张备受摧残的脸进行徒劳的复原。

他看得愈清楚便愈感到绝望。他恨自己的视力良好，使一切昭然若揭，无可回避。于是他去眼镜店配了一副老花镜。每当和齐怀远见面时便戴上这副花镜。

从他戴上那副花镜那天起，少女 S 便在他眼前各处复活了，栩栩如生地走来走去，同他说话，做着各种亲昵的小动作。只要他不接触她的身体，她就总是在镜中那么年轻、光鲜、充满青春气息。

后来，他在任何时候都不肯摘下这副眼镜了。只要他戴着它，周围的一切都显得干净、柔和，人也都显得温顺、文质彬彬，个个都像亲兄弟一样相似。在眼镜里他的家舒适宜人，儿子也不再是那么一副惹他生气的倔犟嘴脸。他看上去十分清秀，恬静得像个姑娘，就是跟他赌气时脸上的表情也依然是温柔可人。

当他在晴空下戴着那副眼镜四处走动，上班、下班，和亲近的人打交道时，他真切地感受到一种美梦成真的由衷喜悦和庆幸。

但每到夜晚，当他摘下眼镜，躺在被窝里，眼前一团漆黑，他便又跌落回往日的沮丧和无望的深渊，感到一种更大的空虚和不安紧紧攫住了他。在黑暗中白天的一切清楚地浮现，犹如一觉醒来梦境依然萦回，那荒唐的情景、奇特的人物、不合逻辑的担忧和恐惧一目了然，梦中的辉煌与瑰丽同时也颓然跌得粉碎。

他清醒之极，以致完全无法入睡，一夜又一夜地辗转反侧，想合眼的意图往往被另一股更大的力量抵消了，压制了。他几乎是强迫般地大睁着双眼整夜盯着天花板，疲倦已极眼皮却纹丝不动甚至连眨都不眨一下。直到黑暗在曙光的照耀下一点点变稀变淡，室内的什物轮廓渐渐显现，他忙戴上眼镜，眼皮才像铡刀一样沉重地切落，一下睡了过去。

他恐惧夜晚，恐惧黑暗，一到晚上上床时间，便如大祸临头，百般为自己找理由，扭扭捏捏不肯上床，那一关灯就会凛然出现的噩梦般的清醒使他心耗身损。

他开始服用安眠药，尽管一次次加大剂量，但始终无效，只能使他更兴奋，更狂躁。后来一次，他实在忍无可忍，一把吞进小半瓶子“利眠宁”，一下昏迷过去。

他被迫去喝酒。

那次醉酒给他留下了美好的印象，他很想再次体味那飘飘欲仙的透明感，哪怕需要忍受随之而来的剧烈头疼。可他无论怎么喝也喝不出那感觉了。总是喝得口刚顺就恶心，就头晕，随之控制不住地呕吐，吐完只剩头疼和浑身冰凉，躺在床上更觉黑暗无边。

第十六章

在马锐看来，父亲自从戴上那副怪里怪气的眼镜，就整天失魂落魄的。由于眼镜遮住了他的双眼，使他脸上最后的那点聪明神态消失殆尽。他的脸本来就不很生动，近来更加灰暗木僵，厚厚晶亮的眼镜片迎光闪烁时尤其给人一种茫然无措的感觉。

他的性子倒是变得温和、沉默，甚至显得有些懦弱。他从没再高声呵斥过儿子，连语气稍微严厉的问话都不曾再有。他变得对马锐不闻不问，有时马锐主动向他请示或汇报些学校和家务方面的问题，他大都置若罔闻，最多嗯哼几句语焉不详地敷衍了事。

他似乎从戴上眼镜后就没正眼瞧过马锐一眼。

他完全龟缩隐藏在眼镜后面了。

起初，马锐以为父亲是沉浸在爱情之中无暇他顾。他清楚父亲和铁军妈的关系的戏剧性变化。他起码一次亲眼目睹了他们在偷偷拥抱，但就是那次拥抱也在他心中留下了疑惑。齐怀远是属于纵身投入，而父亲则腰板挺得笔直，像是在接受长官的授勋，两条腿甚至是立正在一起的。这似乎可以解释为男人要保持重心以接纳扑上来的女人，但那挺立僵直的躯体总给人一种公事公办、冷冰冰的感觉。特别是他的神态，绝不是一种陶醉，而是木然，听任摆布的容忍和好脾气。马锐不止一次发现，当父亲和齐怀远相对而坐说话时，父亲的表情是轻松的、怡然自得的，说话的口吻也相当亲密无间，甚至带有几分调情和爱慕。但齐怀远如果无意或有意碰了他一下，譬如说摸了一下他的手，他脸上虽无变化，但被接触部位会倏地一颤，谈话也会戛然而止，似乎什么东西被从他们之间冷不丁抽走了，线断了。

他摸不准父亲究竟是高兴还是不高兴，是对现状满意还是对从前感到厌倦。父亲倒从不抱怨，可马锐看着他无论如何也高兴不起来。

他希望父亲能和铁军妈无牵无挂地游玩，创造一些快乐。秋天了，正是去郊外野游的季节，他和铁军共同促成了几次出游。但他发现每次父亲和齐怀远野游归来，父亲总显得疲惫不堪，情绪低落，如他询问，便回答："好看是好看，但没意思。"去了几次后，便不愿再出门了，只在家中闲坐或去齐怀远那里吃饭。吃饭给他们俩带来的乐趣似乎要超过其他一切。他们轮流坐庄，购买了各种菜谱，不厌其烦地极为教条地按其规范精心制作。当马锐看到父亲饱餐了一顿美味佳肴，脸上所露出的满足和惬意，那种货真价实的幸福感，才恍然大悟。其实他并不像他自己吹嘘的那样能折腾会玩，也并非时时刻刻都在为具体的苦恼或巨大的忧患所困扰，他的悒郁更多地是来自无聊，无以排遣空闲的时间。他根本不会玩也没有培养出任何别致的情趣，只对吃熟悉，只对吃有浓厚的兴趣，终生最大的嗜好就是吃上一顿对口味的好饭。除了吃还是吃！

连玩都不会！连一份哪怕是像打麻将这样的庸俗乐趣都不具

备！他的寂寞可想而知。

他唯一的放荡方式就是酗酒。

马林生终日喝得醉醺醺的，有的时候是越喝越沉闷，一连好几天不说一句话。有的时候越喝话越多，见谁和谁打趣儿，谁说什么插进去就抢白人家一顿，不管老少男女，生的熟的，路边上两人闲聊他也搭腔。不但马锐啧有烦言，街坊四邻也侧目而视。他公开住在齐怀远家，经常几天不回家，还得马锐来找他。老邻居们都说马林生“堕落了”。夏太太见了他的面干脆都不太理他了。

那日，马林生回家拿换洗衣服，一进门见夏青正和马锐坐那儿说话儿，便一副抱歉打扰的诡笑：

“哟哟，没看见没看见，我这就走马上走。”

夏青当场脸就红了，被他弄得不知所措。

马锐脸上也挂不住了，沉下脸说：“您是不是又喝多了？”

马林生嬉皮笑脸地说：“没说你们不对呀，干吗又冲我瞪眼睛。”

“你少胡说八道的，也不知道分个里外人怎么跟谁都这样儿？”

“对对，我是外人，我走，我回避还不成？”马林生点头哈腰的，只管怪笑着瞅夏青，撅着屁股从衣柜里翻衣服。“夏青，没事常来啊。”

夏青哭笑不得，尴尬万分，“我就是没事来坐坐……”

“有事也可以，有事没事都欢迎。我现在不在，这家就是你们的了。”

“你还越说越来劲了！”马锐急了，从座位上蹦起来，“你大人开这种玩笑也不脸红——都哪的事啊！”

“我说什么了？我说什么了？”马林生笑着摊开手，胳膊上搭着衣服像个街头卖处理服装的小贩。他笑眯眯地凑前对夏青说:“他是嫌我碍事了,其实我一点没想有意添堵。真是就为回家拿趟衣服,绝对是无意中……”

“爸爸,你说这话你还像个爸爸吗?”

“夏青,你说,我像什么?你最公平。”

夏青掉脸对马锐:“我回家了。”起身便走。

“别走啊,这多不合适啊。”马林生还在后面嚷,“我这心里多过意不去——马锐,快追上去呀,考验你的时候到了。”

然后他就咯咯笑,“还不好意思呢,还脸皮儿薄呢。”

马锐气得脸都青了,“您要没酒量您就别喝。您低级趣味别在我们身上找乐儿。”

“有什么呀有什么呀。”马林生闭眼咽下一个涌上来的酒嗝儿,不耐烦地说,“连个玩笑都不能开了?你也忒不经一逗了。”

“没你这么逗的,有你这么开玩笑的吗?”

“我这么开玩笑怎么啦?玩笑还分怎么开呀?”

“你是个大人……”

“噢,光许你们小孩跟我们开玩笑,我开开你的玩笑就不成?”马林生振振有词地对儿子说,“大人怎么啦?大人生活中更需要欢乐!”

“那您就跟孩子一样?”

“那也没什么不可以!”马林生手点着儿子胸脯说,“别那么心胸狭窄,开朗点,你还真得学习学习大人的涵养。喊,开个玩笑怎么啦?知道你们也不是真的,这会儿成真的,你就麻烦喽。”

说罢撇下儿子匆匆而去。

“我是真拿我这爸爸没办法,”马锐对小哥们儿们叹道,“都快变成无赖了。”

“他怎么变得这么快？”夏青皱着眉头说，“过去挺懂礼貌的。”

“就打认识你妈之后。”马锐笑着对铁军说，“不是叫你妈带坏的吧？”

铁军笑说：“我还觉得我妈变了呢。”

“他们俩现在这到底算怎么回事啊？明铺暗盖的，腐化得不像个样子。到底打不打算结婚？老这么下去对你妈影响也不好啊。咱们是不是分头探探？”马锐十分担忧。

“是得找他们好好谈谈了。”铁军说，“街坊说点闲话倒没关系，别回头派出所找我们家去。”

“得催催他们了。我看要不催，这俩不定拖到什么时候。这也是终身大事，别那么稀里马哈的。”

“这人看来是得到岁数就有配偶，要不多少都有点变态摸不准道。”

孩子们笑。

“爸，您这会儿出去吗？”

“干吗？”正在桌前点一沓钞票的马林生站起来，把钞票掖裤兜里，“我还有两小时才走。你能借我点钱么凑个整？”

“你们去哪儿啊？”马锐掏出一把零钱，“差多少？”

“去吃饭，然后逛逛夜市，买点东西——六块就够。”

“这就置办上了？”马锐数出六块钱递过去，“记着还。”

“不算置办，也就是添补添补。你想要什么吗？我一堆儿给你买了。要不要买双旅游鞋？”

“不用，我脚上这双还没坏，您都留着招待女士吧。”

“行，知道你爸穷，自个节省。”

马锐笑着说：“您要有空儿，我想跟您谈谈。”

“嘀，怎么着，马政委，今儿又有什么指示？我洗耳恭听。”

“爸，您别那么油腔滑调的，我这真是很正式的。”

“不是征求我对夏青的看法吧？没意见，娶过来倒插门都没意见，到时候给我块糖吃就行了。”

“我说您怎么老没正经啊爸？您甭跟街上那些小痞子学，您不像。那话儿打您嘴里出来也别扭。而且这玩笑您以后也甭老开了，都有点传我们学校去了，这叫什么事啊。”

“是吗，都有影响了？好好，以后不开了，我这真是善意的。”马林生在椅子上坐下，又站起来看手表，“有什么话儿你快说吧。”

“您坐下，坐下咱也像个谈话的样儿。”马锐殷勤地把父亲搀到沙发上坐下，“来得及，您别急慌慌的心不在焉。”

“什么事啊这么郑重？你们学校又出什么幺蛾子派捐了？”

“不不，跟学校没关系。”马锐笑着神秘地摆手，“今天是谈您的问题。”

“我有什么问题？我有问题也轮不到你找我谈。”马林生噌地站起。

“你坐下你坐下。”马锐笑着又把马林生推回到沙发上，“你和铁军妈你们俩的事最近怎么样了？进展顺利吗？”

“你打听这个干吗？想听黄色故事找别人去。”

“不是，我就是有点好奇，关心关心你。”

“谢谢，感激不尽。”

“别光谢，透露点内幕消息。怎么样，一切还顺手吗？”

“瞧瞧，瞧瞧你打听起我的事那份起劲儿，怎么我一问你你就急呢？”

“我那你是无中生有，你这可是人赃俱在，你还有什么可瞒的？”

“这么说吧，还行，该办的也差不多都办了——我只能跟你说到这程度。”

“你觉得她人不错？”

“差强人意。”

“你是不是觉得，嗯……如果没有更好的，她也可以，还能凑合——也就她了吧？”

“如果没有更好的，也就是她了。”

“有吗？”

“什么？”

“更好的。”

“……目前没有——实事求是地讲。”

“将来呢？”

“你指多久的将来——一直到死？”

“当然是指你身体还允许的那个阶段那个将来。”

“不好说，我没法回答，天有不测风云……”

“你是否有信心？我是说你乐观吗，肯豁出毕生去等，去盼吗？”

“你非要知道，我可以告诉你，我不乐观！也等够了——等得不耐烦了。”

“太好了！”

“你幸灾乐祸？小子你别得意，别看你比我年轻岁数小，你也不见得等得到。”

“我不是幸灾乐祸。我是想说，实际上你的意思实际上你等于已经否定有更好的——人了？”

“实际上我等于是——弃权了。”

“也就是说铁军妈，不，齐夫人是最佳的了？”

“就目前而言，一定要加目前……”

“目前就是永远，因为你已经弃权了，这点就别再争了，已经很明白了。我再问你，如果这时齐夫人离你而去甩了你，你会受得了吗？会引起痛苦吗？”

“坦白地说，我会更加空虚——痛苦倒不一定。”

“有什么其他的能代替吗？”

“想不出有哪个其他，我觉得我处处空虚。”

“那好，现在我懂了，齐夫人实际上已经是你从现在到永远所能遇见的最好的女人……”

“她不是我能遇见的最好的女人，而是我能勾搭上的……”

“那还不是一回事？你就别咬文嚼字了……既是最好的女人，而且不可替代——那你还等什么？”

边走边说的马锐倏地转身，兴奋地对父亲挥挥拳头，“——还不抓牢她？”

“我已经抓得够牢的了。”马林生困惑地说，“我不知道还要怎么才算更牢。我肯定现在谁也勾搭不走她，她迷我已经迷得一塌糊涂了。”

“那可不一定。”马锐诡秘地说，“据我所知，铁军已经又为他妈物色了三到五个新的人选。”

“这小兔崽子，倒是个拉皮条的好手。”马林生骂了一句，不屑地说，“没戏，谁都没戏，皮带环在我手里攥着呢——让他们来吧！”

“可是……可是……”马锐一计未成又施一计，“可是你知道吗？最近咱们这条胡同谣言很厉害。”

“传谁呀？我吗？”马林生把手按在胸口。

“是。”马锐做痛心状，“有些谣说得很难听，我都没法向您复述。”

“我不在乎，有人造我的谣说明我够一定档次了。”

“不是政治谣言，是作风问题，桃色新闻。”

“嘁，他们能传什么？不就说我在那谁家住嘛。管得着吗？我又没搞十个八个，又不是乱搞……”

“他们就说您乱搞？”马锐打断父亲。

“凭什么说我乱搞？”马林生也瞪起眼，“乱搞是有规格的，通奸是有定义的，不是随便两个人一起睡觉都算的。这里分婚前婚外，给不给钱的——我懂！”

马锐看着父亲惋惜地摇头，“您这话一点说服力都没有，甭说外人，连我都觉得您是在狡辩。您说您不是乱搞，可你们到街道办事处登记过吗？没有。有大红结婚证吗？没有。您说这不算乱搞算什么？起码也是不正当男女关系。”

“我们这是爱情！”

“爸！”马锐语重心长地叫了一声，“您从小就教育我要行得端，坐得正，做人做事要光明磊落，千万别让人戳后脊梁。这话我可还记忆犹新哪。您不觉得您最近的行为有点背离了这几条原则，有点放荡了吗？”

马林生哼地一笑，“我教了你千条万条，就忘了教你少干涉别人的私生活。”

“这可不是您的私生活，这里还连着我呢。人家说你的时候，看我的眼神儿都不正。”

“怎么，嫌你爸给你丢脸了？”

“话不能这么说，我也是为您好。您在咱们胡同一向还是有威信的。办个手续不费事嘛。办了咱们不就全踏实了？这不是我管您闲事，爸爸。您瞧您现在，变得我们认不出了，喝酒戴金丝眼镜……背后都有人管您叫花花公子了。”

马林生仰起脸，眼镜闪闪，跷着二郎腿，嘿嘿一笑。

“我求你了爸爸，您别老那么一副厚颜无耻的样子好不好？”

马林生放下腿，嘴角含着一丝讥笑地看看儿子，“你就忍几年吧，儿子。过了这几年，我想折腾都折腾不动了。”

“您这是及时行乐的思想！”马锐叫起来，“您不是想去花天酒地吧？”

“看着你不小了，其实你还不大。”马林生站起来，扶扶眼镜，掸掸笔挺的西服，自负地说，“就你现在那境界，还没法跟我对话呢。”

“您给个准日子，爸。”马锐喊着追出门，在门口台阶上跺脚，“您不能再扩大影响了！”

“喂屋里有人吗？”

“谁呀？噢，夏夫人。找夏青啊？她不在。”

“你一人在这儿趴着桌子吭哧吭哧较什么劲呢？”

“没事，随便诌几句诗，抒抒怀。”

“你最近日子过得挺滋润？”

“强颜欢笑罢了——瞎混。有事吗？干吗这么欲说还休的？”

“你听说最近咱这一片有个谣言传得挺厉害的？”

“知道，是说我的吧？根本不往心里去。好事我自为之，笑骂由人笑骂。”

“不是说你，是说我们夏青和你们马锐。”

“是吗？好哇，让大家有个精神准备也好。我的意思现在还是以学习为主，其他事放到以后再说。”

“马林生同志，我是很严肃的，你不能跟谁都是这副腔调，我不是你儿子！”

“看出来了。我有什么办法？我也没权去封大家的嘴巴，别人要说只好由人去说，我们不慌就是了。”

“没这么简单吧？关于这个谣言我已经查了，顺藤摸瓜结果发现根子就在你这儿。”

“怎么会是我？”

“没错，我已经多方证实了，谣就是你第一个造出来的，你就是谣言公司的董事长兼总经理……老实说，我很气愤，万没想到。”

“你一定是搞错了，你经常搞错。我没事撑的给自个孩子造这谣干吗？我脸上有光啊？”

“抵赖是没有用的。所有人包括你儿子，都说这话头是从你那儿提起来的。你先拿他们开玩笑，然后慢慢他们同学、大家都开始拿他们俩开玩笑——你是个做长辈的，怎么能跟孩子开这种玩笑？你简直让我……骇我听闻！”

“真是我干的？那我可是有点操蛋了。”

“你今儿没喝多吧？”

“没，我今儿还没喝呢。”

“那好，你要现在头脑清醒，我就继续跟你往下谈……我们夏青是女孩儿，将来还得嫁人呢，甭管干什么，都需要个好名声。现在可好，才这么小就平白无故让你给玷污了，也亏你好意思！”

“这事我做得是有点造次。这么着吧，我去跟大家解释，都谁知道这事你给我个名单。”

“你还是喝了点儿吧？”

“没喝，真的没喝。”

“那你就是智力不够。这事能解释吗？越解释还不传得越快不知道的也知道了。”

“那怎么办呢？咱确实不能让孩子背这黑锅。甭管男孩女孩从小有了这么个风流名声，也影响进步啊。”

“可不是，我体会深哪。就因为我从小有几分姿色，又长了个笑模样儿眼角往上挑，碰上多少想毁我的人？到如今才太平几年。我可不想让我女儿像我一样，饶让人占了便宜还骂你声贱！”

“是啊是啊，你那点事夏经平都跟我哭诉过，你也算劫后余生。”

“他知道那点算什么？最要命的我没敢告诉他，全烂我自个肚子里了。”

“都是苦孩子啊，要开诉苦会都有一肚子话要说。”

“不能妈完了轮到闺女，一个躲过去的都没有！”

“不能！这么着我都不答应！凭什么倒霉的总是咱们孩子！”

“老马，咱们也算神交已久了，打坐在摇车里起就在一条胡同的墙根下晒太阳。我今儿真不是找你来问罪的，我就是求你高抬贵手放我们娘儿俩一马。”

“你这话儿怎么说的？这不是骂我吗？”

“真的，我这是心里话。这事既已出了，谁也没办法了，以后千万别了。我知道你没恶意，就是跟孩子们逗逗，可我不像你，也就是这几年闲话刚少点，真不经一逗。”

“有人又把你联系上了？说是你的遗传？”

“我不怨别人那么说，谁让咱早先有把柄让人攥着呢？咱说话挺不起腰啊。可你说，我这几年规矩不规矩？”

“也亏你家有个法院的现成管着。”

“我为什么？就为在儿女面前是个正经形象，让闺女觉得这妈还值得尊敬，没给她四处丢人去。我不是老了，没处花去，我是收着性子呢。”

“这我信，你要想你还能。”

“所以我慌呢，所以我怕呢。传我闺女的闲话最后势必连到我这儿，那我这点苦心就全白费了……让谁瞧不起也不能让自个女儿瞧不起，让谁说贱也不能让自个女儿觉得贱……”

“你别哭啦，你的秘密大家都替你保着呢。没那么严重，他们能造谣，咱们还能造谣呢，夏青她一辈子都知道不了真相。”

“唉——我此生已经不存其他想法了，心全在这个女儿身上。只要她对我好，全世界的人都对我恶狠狠的我也无所谓……所以我一听说顿时眼前发黑就像天要塌下来一样心想非得来找你——咱们小老百姓除了孩子还趁什么？又不让多生……”

“其实，就算夏青听到什么也不会怎么样。再怎么说你也是她妈，生她养她的妈……”

“何必让孩子难过呢？就让她一直认为她母亲是天下最纯洁、最善良的女人不好吗？”

“……”

“再说，我也没把握，不敢冒这险，万一她真嫌了我……”

“不会不会，夏青懂事。”

“懂什么事啊！一直生活在鲜花蜜糖中，只知道大灰狼是坏人，小兔羔子是好人，爱憎分明着哪。我这么小心注意着成天价，就因为实在不是个圣人，她还对我老大不满呢。”

“这么教育孩子不见得对她好，总有捂不住的那一天。”

“谁说不是？我也为难，让她老在梦里吧，她老长不大；叫醒她吧，又怕她伤心；等她慢慢自个醒呢，又怕冷不丁一睁眼吓坏了。她那么小，哪受得了看见父母也长着尾巴？你已经使她非常困惑了。”

“我？”

“对，她问我好几次了：‘妈，你说马叔叔这个人过去挺好的，现在怎么会变成这个样子？’极为不理解。我能说什么？我能告诉她马叔叔现在算不上坏，他有权按照自己的喜好生活我能这么说吗？我能理解你她能理解你吗？她只知道一种生活方式所有的教育都告诉她不这么生活就是堕落她岂不会更糊涂？我只有无言以对。”

“……她认为我怎么了，变成什么样儿了？”

“我也这么问过她：马叔叔变成什么样儿了？她说不出所以，憋了半天憋出一句，说你像个孩子……”

“马锐也这么说过，这是他们的一致看法——我怎么会像个孩子？他们为什么不说我更像个大人？”

“说你像孩子意思就是说你随心所欲，不管不顾，说话做事都不大谨慎……不庄重——除了父母老师榜上有名的英雄模范他们哪见过其他大人？”

“也不知是咱们误了他们还是他们误了咱们？”

“老马，我要跟你说几句心里话了。在孩子面前该装还得装，不能太让他们看透了你。你已经在他们面前装了那么些年了，把他们的趣味都灌输出来了，忽然一下撕下脸，你再真诚他也接受不了！他就认你拿着劲那副形象，别的全都不对！”

“可马锐并不喜欢我原来那副样子——我自己也不喜欢。”

“你太真诚了。”夏太太忧伤地望着马林生微笑，“你真诚得都让我有点爱上你了。可没人需要你的真诚，包括你的孩子。”

| 第十七章 |

那年，秋天很长。一直到十一月份，天气仍很暖和，树叶大都没掉，好好地长在树枝上落满一春一夏的灰尘色泽黯淡。街上一到入夜已经可以看到一辆辆挂拖斗的运煤卡车奔驰而过。大小饭馆都贴出“新添涮羊肉”的招牌，时髦的男女也都换上了一身羊皮或呢子羊绒衫什么的，给人的感觉这个国家的畜牧业还很发达呢。

马林生近来一忙着操办结婚的事情。他和齐怀远决定把两家的房子换到一起，最好是换两套挨着的楼房单元，这样既能照看孩子又能互不干扰。他以平房换楼房又有这么个条件，一下很难找到合适的，于是就要去奔波，时间基本上都搭在换房上了。

他每天都回来得很晚，一般情况下他回来儿子都睡着了。他看到的总是儿子入睡后安详的面容，早晨一睁眼，儿子又走了，所以他完全没发现儿子近来心事重重。

马锐岂止是苦恼，简直就陷入了一种梦魇般的恐惧中。这个他待惯了的，一回来一看到一走在其间便感到安全、自在的胡同现在已经成了一条充满荆棘和陷阱的畏途。每天上学放学经过这条胡同都成了一种对他毅力的考验，以致他现在每当跨出家门或校门都条件反射地缩紧了心，佝偻着身子，像是去受刑或接受判决。他焦虑、愤怒又无可奈何，连生活的勇气也近乎丧尽，屡次想到远走高飞或拼死一搏。

那帮在胡同打台球的坏小子们总是在他经过时截他。这帮坏蛋不光截他，几乎所有路过的中小学生都挨过他们的截，搜身和或轻或重的凌辱。不少大人也受过他们的气，特别是年轻男女，每过一对儿，都要被他们起一通哄，说几句难听的下流话。谁也拿他们没办法，只得忍气吞声，敢怒不敢言。那些身强力壮的大汉他们也不去招惹。运动会期间，派出所的警察曾驱逐过他们，可运动会一完各方面都松了一口气，他们又把球案支上了。大概是前一阵儿老实待在家里憋坏了，这回卷土重来更可着劲儿在过往行人身上抖威风，闹得更欢了。

马锐挨他们揍过一回，脸可能是被他们记住了，他们尤其喜欢欺负被他“灭”过一道的主儿。所以，别的孩子可能是偶尔、隔三差五被截，而马锐则是过一回挨一回截。

每当马锐经过胡同口台球案子时，这帮家伙中没玩球的那几个就会手杵杆像日本太君手按着戳在地上的战刀在他身后阴阴地喊：

“小子，站住。”

如果同行的还有几个孩子，一时没闹清他们在喊谁站住，马锐的脚没马上停下来，他们就会继续喊：

“说你哪小子，装没听见啊！”

这时，所有的孩子都只好站住，回过头来像一群赶集的老百姓等着守城门的伪军来搜查。

几个邪劲儿毫不逊于电影里汉奸的无赖晃着膀子走上来，噼里啪啦地扇走其他小孩，只留下马锐，然后开始问，装作对什么都好奇：

“兜里有什么呀？都掏出来叫我们瞜瞜。”

马锐只得把各个兜里的东西全掏出来，搁到他们手心里，任他们翻拣。

他们留下他们中意的随便什么，当然包括所有的钱，然后把剩下的往地上一扔，“捡吧。”

看马锐蹲着一点点捡拢。

收走钱物时大都还问一声：“这东西我玩几天啊，舍得吗？”

马锐只能含着泪，一声不吭。

“别那么小气，回头再找你爸要。钱嘛，谁花不是花？”

钱多时，就有个别坏蛋嬉皮笑脸地作好作歹，“别都拿走，给人小孩留点，要不忒不够意思了。”于是扔给他一毛两毛的，像是他们给他的施舍。“拿着拿着，别客气，去买几块糖吧。”

钱少了，他们就会瞪眼奚落他，“你们家怎那么穷啊？就给你带这点钱？钱呢钱呢？人民的币印出来都哪儿去了？”

如果他手里有冰棍或攥着油条，这帮家伙中也准有一个一把夺了去，不顾是否沾了口涎剩了半截都塞自己嘴里去。

接着还翻他书包，课本铅笔盒都抖落出来，马锐有好几本武侠小说都被他们抢走，再也要不回来了。

最后他们似乎突然一下就不耐烦了，挥着手像赶叫花子似的撵他，“滚滚，快滚。”

马锐动作稍慢一点，后脑勺上就要挨几巴掌，腿上就要挨几脚，经常被他们打得连滚带爬夹着翻得乱七八糟的书包仓皇而逃。

有时不知哪位心情就突然不好了，上来二话不说，直接就扇马锐大耳刮子，打得他涕泪交流，到了学校脸上还留着手印子。

天天如此，日复一日，再奴性十足，受虐狂也急了。

人完全被剥夺了尊严，就不存在理性了。

马锐的屈辱被夏青、铁军看在眼里，感愤在心头。铁军虽因住在另一条胡同，得以免遭如此荼毒，但铁哥们儿的苦难犹如自己的不幸。每每睹状怒发冲冠，只可恨自己年幼力薄，无能克敌制胜。全部所为也只有与友切齿于一室，一天天阴郁下去。夏青则慷慨激昂，大声口诛那帮横行一时的歹徒，见男孩们默默无语束手无策，便决意自己挺身而出，欲去告诉老师家长或直接奔派出所报案，被马锐一声断喝，震慑于原地木立。

马锐最不愿意做的就是向老师和父亲呼救，他在这二者面前曾保持了那么一种高傲、有独立品格的形象，他那洒脱的见解和超人一筹的应对能力甚至常使他们自惭形秽——他们都是他的手下败将嘛。他们肯定会闻风而动，积极奔走，大声呼吁，同时他们也就重新获得了权威和主宰他的权利。事后他们会像坐在莲花宝座上的佛爷，笑眯眯地怜悯地俯瞰他，同时毫不迟疑地干涉他的思想和所有行为。他无疑将因此丧失至关重要的和微不足道的全部所得，而他们的奔走呼吁是否奏效是否能消灾弭祸还不一定，也许反致变本加厉。

至于报官，在马锐看来，那根本就是一种怯懦、卑鄙的举动，比当街受辱更糟糕，更令人羞耻。因为个人恩怨送官制裁几乎和陷害、坑人没有二致。在普通百姓的观念里，此举牵涉到重要的道德问题，事关荣誉、名节。

要报官也应该由别的惯于仗势欺人的小人去报。

马锐幻想成为一个神奇的、武艺惊人的侠客，这是他平霸雪耻的唯一指望。他素知天下高人已寥寥无几，且都归隐山林，萍踪难觅。那些名山名寺也大都开门揖盗，借佛名敛财，成了那一等最庸俗、最势利的热闹场所，早失传了任何精功和妙谛。况且他也等不及那必不可少的若干年苦修，那些讨厌的师父除了授功肯定也要唠叨不休地培养他的武德，功练得太深武德又恁高尚再打那几个小毛贼只怕也会不好意思。万一他们又在他习武期间归了正道岂不是嗟悔不及？

他需要的只是一个突如其来的大背挎，一套迅雷不及掩耳的组合拳，在一夜之间速成。

他买了各种“一招制敌”“擒拿要领”之类的画龙点睛之书，暗暗揣摩，默默体会，并在家中无人时按书中标绘的分解图例，一招一式极认真地演练。拳路很快就走顺了，对镜舞来，也颇威猛。有意以铁军为假想敌比试一番，立刻发现致命而且无法弥补的缺憾。凡此种种令人立时瘫软的狠招均需千钧膂力，准确地说拳头非得能产生五十公斤以上的冲力方能一拳把人打昏。有这五十公斤的力量无论打在哪儿别管姿势如何都能一锤定音，敌手不昏也顷刻呆若木鸡。而只有四两力，凭你两条胳膊舞得车轮似的，也不过是花拳绣腿，有无破绽一个粗汉即能把你放躺下。

长得单薄这可不是一朝一夕能改变的，即使从现在起就牛肉牛奶地暴饮暴食，换出一身牛力气也得寒暑几载。马锐一边对墙练着硬拳一边又根据自己身体现状，买回一些《女子防身术》的书籍，学些阴功。那无非也是些咬舌踢裆的贴身战法，只适合于一对一且对方无意保护自己的生殖系统的情形。光天化日之下，断难偷袭。

看来一夜称雄的好梦是难圆了。马锐怏怏的，转而求助于器械，抱恨练些棍操剑术什么的，在呼呼生风的旋转中激励着自己复仇之心不灭，发泄着自己对那难酬难言的壮志的失望。他一下就喜欢上辛弃疾的词了。

马林生对儿子的习武热情十分赞赏，“好好，知道锻炼身体了，注意别学了出去打架使。”

有时饭后茶余，动了闲情逸致，还招呼马锐，“来套猴拳给我练练。”

事态继续恶化，马锐已经逃学两天了。夏青来找他，告诉他刘老师已经发怒了，她根本不信夏青代他请的病假，强调病假必须有医生假条。如果没有假条马锐又再不来上课，她就要找上门来家访。一旦证明马锐的旷课毫无理由，学校就要给他严厉的处分。

马锐也觉得这么下去不是事儿。他明天必须上学，哪怕要向学校老师泄露真情，虽然他清楚刘桂珍一定不认为这是旷课的理由。

“你是不是让你爸给写个条儿，证明你这两天确实发烧了，也好有个交代。”夏青对他说。

“不！”马锐一口拒绝，态度极为坚决。他宁肯在学校丢脸，也不愿在父亲面前露出一丁点软弱。

“明天我跟你一道上学，看他们还敢截你。”夏青表示。

“不，不用你陪我！”马锐严词拒绝。

“我一定要陪你！”夏青比他还坚决，“明天上学你等我。”

“不要！”马锐愤怒地哭了，他不能容忍自己的安全得受一个同龄的女孩儿的保护。那些大人呢？那些天天吵吵着要管他的老师家长呢？他不无委屈地油然想，在他不需要他们的时候，他们不请自来，而在他需要他们的时候，却无一存在。他感到被他们抛弃了，同时又隐隐地感到他的孤单无助正是他自己造成的。

他只哭了一下就止住了。

晚上，他睡得很晚，一直等到父亲回来，他坐在床边看着父亲的目光是忧伤又充满期望的。可马林生丝毫没注意到儿子的异常，快乐地走来走去，洗脸洗脚，脱衣服脱裤子脱袜子嘴里断断续续地哼着小调。他奇怪儿子为什么迟迟不睡，催促他赶快上床钻进被窝，然后关了灯，自己上床后很快便睡着了，发出轻轻的鼾息。

第二天，马锐醒来后，父亲已经走了，桌上摆着给他留下的一份早餐，盖着碟子保温的豆浆和三根油条，旁边茶杯下压着一张纸条和三元钱，纸条上注明两元是给他这周的零花钱，一元是还他的一笔欠债——“两清了！”纸条上最后一句话是这么写的，后面是一个粗大的惊叹号。

马锐吃了油条和豆浆，没动那笔小钱和纸条，然后背上书包，走到放杂物的双屉柜前，拉开抽屉，检视了片刻，挑出一把锥体细长雪亮的螺丝刀，握在手里掂了掂，放进书包——整个咀嚼咽食和往书包里装螺丝刀的过程中他始终平静，动作从容。

他打开屋门走出去，从阴暗的房内一下进入到强烈的阳光下，他不由眯起眼睛。

夏青背着书包等在院门口，神色严峻。

他经过夏青身边时并不看她也不说话就像不认识她，出了院门来到胡同里便加快了步伐，想要甩掉她。

夏青紧紧跟着他，有时小跑几步，免被落下太远。

阳光照在胡同里，像透过花房的玻璃天窗洒下来那么浓密、光雾迷蒙。两个孩子一前一后紧紧相跟脚步匆匆地在胡同里穿行，鞋底交错踩打着柏油路面发出拍手击节般的脆响，两只同样式同分量的书包在他们不同弧度的胯侧喘吁般地颠动着。

他们接近胡同口了，络绎闪过的公共汽车和电车的中部路数牌都能看清了，自行车的铃声和汽车轮胎的轧轧声以及人群的嘈切脚步混成一体又各自突出地扑面而来。

他们看到那群散站在大槐树下台球案周围的长发年轻人的手执球杆的身影，和完全处于树荫下清楚得如同照片的脸容。那帮坏蛋也看见了他们，有几个背向他们的也转过身，脸上笑嘻嘻的，看上去似乎毫无恶意。

马锐在看清他们之前，一直是情绪饱满、高昂的，待一走进他们的视野，立刻感到畏缩、战战兢兢犹如走进地窖阳光一下消失、隔绝了。他疾行的步伐也随之放慢了，变得踌躇、拖沓，蹭在地面嘶啦啦响。

几个家伙晃晃悠悠走到路中间，好像站在那儿聊天，眼睛却嘲笑地盯着走近的马锐。

马锐低下头，继续往前走，他已经闻到了那帮家伙身上的烟味儿，几双肮脏的皮鞋和旅行鞋出现在他眼下。他看着自己的两只脚往前走，一只皮鞋忽然抬起绊了他一下，他一个趔趄猛然站住。

几张微笑、长满疙瘩的年轻的脸看着他。

“怎么，见着哥们儿假装不认识？”一个脸形瘦长白皙的小伙子笑着对他说。

他刚想从他们身边绕过去，背在肩上的书包被一个留着小胡子的宽肩小伙子兜头摘走，书包带刮红了他的耳朵，扶着书包的一条胳膊也被拽疼了。

他奋力去夺，那个小胡子迅速把书包扔给另一个小子，一群人哈哈大笑。这时，只听夏青在一旁尖叫：“你们干吗抢人家书包！”

坏小子们一边手脚不停地继续来回扔马锐书包，一边扭脸瞅着夏青大笑着调侃。

“哟，这还有一个看不惯的，你是他什么人呀？”

“甭管什么人，你们抢小孩东西就不对！”夏青毫不畏惧，并上前帮马锐夺书包。

“嗬，这么小就会扑爷们儿了，扑得够熟练的。”

有的主儿还冲马锐说：“怎么着，今儿你带着马弁哪？这丫头是你媳妇吧，这么护着你——够会玩的。”

说这话的小子手腕被马锐一把攥住，划出两道白印。他抬手给了马锐一个耳光，另一只手用力把书包扔出老远，骂道：“你他妈弄疼我了，找抽哪！”

接着就把手一直指到马锐眼前，“你他妈还不服？不服——”立即又是一个嘴巴。

“你们怎么能打人！”夏青大叫，“你们怎么动手打人！”疯了似的上前猛推那小子，把马锐往后拉，“你快走！”

她哪撼得动那个壮小伙子，反被那位一把扒拉到一边去。

“哪他妈有你这小母夜叉乱掺和的！滚一边去！急了我连你一起抽！”隔着夏青一脚把马锐踹一跟头。

“你才多大，就知道护汉子，回头找你们学校告你们老师去——这也忒早恋了。”小白脸在一旁幸灾乐祸地笑。

“你们打人就不对，打人犯法！”夏青不屈不挠，被扒拉开，又勇敢地冲上去。

这时马锐已从书包掉落处满头满身尘土地跑回来，他手里端着那把大号螺丝刀，眼睛通红，遇到第一个碰上的小白脸，在行进中便用力向他后背刺去。

小白脸正嬉皮笑脸地拿夏青开心，毫无防备，被这一刺立刻怪叫一声，手捂着后背反弓着身体跳出数步。

“你妈蛋你还动改锥了。”小白脸站在一边检查着自己衣裳破口大骂，“你差点杀了我小王八蛋——毛衣都刺破了。”

那帮坏蛋蜂拥而上，对马锐拳打脚踢，连在台球桌旁玩的几个也扔下球杆围过来，气冲冲地参与殴打。

“拿板砖拍了他，敢动铁器！”

“给丫送派出所，这是什么年头，还敢行凶！”

“操他妈要不是哥几个在，还出了杀人案了。抽丫的抽丫的，我早看出这小子心里不服！”

这帮家伙边骂边打，一个比一个手下得黑。马锐被他们打得已是鼻青脸肿，仍咬着牙尽力还手，一次次跌倒一次次爬起来，无力地把瘦小的拳头打在能够着的人身上。

夏青哭着站在一边喊：“别打了别打了。”又拽住过路人的衣角哭求，“你们管管呀你们管管呀。”

那些被她拉住的过路人，个个面有难色，尴尴尬尬地嘟哝：“为什么呀？怎么了？”然后胆怯地看那些行凶的歹徒中面目最和善的某个。

“为什么！怎么了！”正在逞凶的歹徒恶狠狠地回答，“这小子杀人了，被我们逮住了！”

听到如此回答，看到那直射向自己的凶恶眼光，这些身强力壮的过路人都垂下眼睛，挣开夏青的牵扯，急急离开此地，在稍远的地方再站下来观看。

周围很快就围上了一个圆圈，推着自行车的男人和抱小孩的妇女站了好几层，一边瞪大眼睛惊异地看，一边交头接耳地互相打听。大街上过往的人看到胡同口围着人也好奇地拐进来看热闹。

“别打了别打了。”夏青已喊得嗓子嘶哑，泪干气尽，她的头发凌乱，衣服上鞋上落满人脚踢腾飞扬起来的尘土。

马锐被无数条挥舞的胳膊和飞踢的腿脚切割成一块块不完整的部分：一个佝偻的背；一个衣襟空荡紧收的小腹；一只沾满血袖子撕成布条的手；一条弯曲由于一击蓦地痉挛抽搐的腿。他的脸时而在拳脚的缝隙中露出：灰暗、带着血痕泪渍，紧闭着眼，紧闭着嘴，毫无表情忽而上仰忽而下俯忽而侧视忽而面对人群……

阳光明媚，点点滴滴洒在民房的房脊瓦片上；洒在亭亭而立的树间万片绿叶上；洒在远近耸立的无数高楼大厦的一尘不染的玻璃窗上同时反射出耀眼的光环。整座城市像是沉溺在阳光汇聚的无边海洋中，到处流动着明明灭灭欢快跳跃的波光粼闪和一层层荡漾的线条。在嶙峋斑驳有如岛礁般的城市上方有一个无垠的碧空，空中有云舒卷像一只笨拙的北极熊在缩肩拱嘴抬爪仰头。一群鸽子呈喷射状无声地飞过蓝天，极为轻盈，极为娴雅，与远处烟囱冒出的一股笔直而袅袅上升的轻烟各兼神韵。

天下万物都很安详……

马林生两手下垂呆呆地直立，双眼平视，眼神专注。片刻，他左右扭动身体但两目始终平视前方。他解开衣服扣子边往下脱边转身问站在他身后的齐怀远："你觉得这颜色配我吗？"

同样穿着一身崭新的套装的齐怀远站到镜前端详着自己，"可以，你穿浅灰色很潇洒——我怎么样？穿这身合适吗？"

"套装的通病就是穿上去显得腿不够长臀部太突出。"

"那是我长得不科学不怪人家服装设计师。"

"你还是买件旗袍当礼服吧，囫囵下来挺扬长避短的——别怕穿不出去。这种浅灰色我也觉得轻佻，像个小开不符合我身份。"

"你什么身份呀？"

"我比较适合穿深色庄重的，要么就随便宽松。"

两个人笑着分别把身上的新衣脱下来，挂在衣裳架子上，交还给侍立一旁的女店员，“谢谢，不要了。”

二人步出时装店，在大街上继续漫步，优哉游哉，边逛边随意浏览着商店橱窗中的各色商品。

马林生感慨着，“别看我就在这条街上上班，可我从没怎么逛过这儿的商店，每日匆匆而来匆匆而去，现在才发现这儿的东西——是高级。”

“可惜好多东西，最喜欢的——买不起。”齐怀远也叹。

“看看也好，我现在发觉光看不买也是种享受，油然就觉得自己也是其中一分子了。”

“特自豪是吗？”

“……说自豪也挨不上边儿。”

“我可是十分嫉妒，每当看到自己买不起的东西别人却挤在那儿抢我眼都蓝了。”

他们从街这头逛到街那头，然后掉回头沿着马路另一边往回逛，不时蹿进感兴趣的商店半天才重新露面。

“到你们书店看看。”

“啊不去不去，我现在对书一点兴趣都没有，闻见书味儿就恶心。每天上班简直是活受罪，非得不停搽风油精才挺得下来。我准备往茶庄调动了，那儿满室芳香又清闲无事——最适合我。”

“你说咱们还等房子吗？”齐怀远往马林生身边靠靠，“哪天才能换成？先结了得了。”

“要等。”马林生歪了一下头，认真地说，“再住进去，这辈子都不动了，就死在那屋里了，所以一定要可心。”

“再结婚，你还打算要孩子吗？”

“……有这一个已经够了！我好好盘算盘算这辈子怎么善始

善终吧。”

“我的看法跟你一样，再生孩子太恐怖了。”

“……不堪回首。”

“如果你还年轻，咱们是第一次结婚，都没孩子，你想不想要孩子？”

“跟你，要。那纯粹是为了你，不是为了他或她。”马林生笑嘻嘻地说。

“我是跟谁都不想再要了，除非我特别有钱，雇得起人房子又大——我只管生可以。”

夜里，马林生摸着黑回了家，打开灯，发现屋里空荡荡的没人。他走进里屋，看到马锐的被子叠得整整齐齐上边压着枕头床上没人睡过。马蹄表在桌上滴滴答答地走着，时针已指向十一点。

“这小子，这么晚了还不回家。”他骂了一句，管自去倒水洗脸洗脚，拿起一张报纸赤脚坐着看，看了一会儿才发现这张报纸看过了，是昨天的。他站起来在报纸堆里翻找，发现没有今天的报纸，颇有些纳闷。打开电视，主要的几个台节目已经结束，只有中央一台还在放一个八路军打国军的电视连续剧，屏幕上不是黄煞煞的一片国民士兵就是灰秃秃的一片八路军战士，几股爆炸的烟尘，零七八落的枪声中几个洪亮的男高音在憋着嗓子卖力地喊：“冲啊！杀啊……”

房门开了，夏经平穿着件毛背心探头探脑地进来，进门就说：“你回来了，见到马锐了吗？”

“没有啊，他还没回来——咦，书包怎么都不在？”他这才发现不同寻常。

“咳，你还不知道？到处找你，找你一天了，给你们单位打电话你也不在班上。马锐出事了，让人打了，你快去看看吧。”

“怎么回事？”马林生皱紧眉头，“他现在怎么老爱跟人打架，他在哪儿？”

“不是跟人打架，是让人家给打了，打得还挺厉害，大概已经住院了。你先去派出所吧，是他们给送的医院，他们叫你回来先去他们那儿一趟甭管多晚。”

黑黢黢的胡同里的一个院落门口挂着盏红灯，红灯底下是派出所的白木牌。门口停着一辆带警灯的吉普车和两辆标有公安字样的三轮跨斗摩托车。

马林生进了派出所院子，见东西厢房都亮着灯，有人在大声呵斥有人在刻板地念着什么有人在小声嘟哝说的内容都听不大清。

一个披着大衣很年轻的警察从一间屋里出来嘴里叼着烟，看见马林生站在院里便问：“你找谁啊？”

马林生忙上前解释了一通。

那年轻民警斜眼打量了马林生几眼，说：“噢，你就是那孩子的家长。你今儿一天上哪儿了？怎么到处找不着你——跟我来吧。”

他转身又回到屋里。马林生跟着进去，回答说他今天临时有事出去了，所以没在班上。

“那也应该留个话儿，出了事也知道好上哪儿找你去。”年轻民警翻着白眼说，“你这孩子今儿是没死，万一死了呢——坐吧。”他冲桌前的一把椅子一抬下颏。

马林生呆呆地坐下，那个民警拿出马锐的书包和一把大螺丝刀放在桌上。

“事儿大概你也知道了，我就不从头细说了。情况就是这样儿，你们孩子用这把螺丝刀把人扎了，自己呢，也被人打得够呛。”

“为什么？他为什么把人扎了？扎的什么人？伤得厉害吗？”

“扎得倒不厉害，也就指甲那么大一个口，没事，就是衣服都扎破了，人家要赔呢。至于说扎的什么人……”年轻民警翻翻手头的卷宗，扫了一眼，“据你儿子的一个女同学，姓夏的小姑娘反映，这伙人平时就老欺负他，在他上学的时候截他，据说还抢过他东西和钱也打过他，双方一直有仇。我们叫你来就是想问问你，是不是有这么回事？这伙人没事总爱在胡同口大槐树下玩台球……”

“不知道，我一点不知道，从没听他说过。”

“噢，你当爸爸的也一点不知道，从没听他说过……你这孩子平时有事都不跟你说呀？”

“……很少。哦，我想起来了，那帮人确实打过一次我们孩子，那还是夏天，很早。我们孩子头被他们打破了，我带他上医院缝的针。”

年轻民警点了点头，用笔在记录纸上随便记了几笔。

“这帮人就是一帮流氓，专门在胡同里欺负小孩，好多大人也受过他们的气，我……”

“这些情况我们都了解，”年轻民警说，“他们是什么人我们比你清楚，你那孩子干吗惹他们呀？”

“肯定不是他惹的他们，肯定是他们把他欺负急了。”

“这我们知道，我们还不知道是怎么回事吗？所以他们吵吵着要赔偿损失时我们一下顶了回去。我们警告这帮小子了，都老实点，别奓翅儿，把人打成这样儿还……”

“为什么不把他们抓起来？”马林生十分激愤。

“怎么抓呀？”年轻民警掂着那把螺丝刀，“你们孩子也动手了，还用了家伙，这性质就变了，成了斗殴了。你们孩子也真傻，拿这么个破玩意儿管什么用？真想跟这种人干，起码也得使刮刀。行了，老马——你是姓马吧——你也别难过，这帮坏小子只要还这么下去，早晚有一天跑不了，我们都拿眼珠儿盯着他们呢。也别觉得冤，你那孩子也得教育，有事找我们呀，自个折腾还不是吃亏？你对付这些流氓不能也使同样的流氓手段，那就不占理儿了，吃了亏自己倒霉，占了便宜我们还得抓你对不对？”

“你说得对，非常对，这些道理我回去一定跟他讲。”马林生连连点头。

“他现在在医院呢，你快去看看吧，书包你拿走，这改锥我们就没收了。”

“好好。”马林生拿了书包转身要走。

那民警忽然又在他身后说：“你平时是不是不太管孩子啊？”

马林生立刻红了脸，“……也管，我工作忙，就一人……”

“你这孩子这年龄还不能不管。他这年龄正是惹事的年龄，好些最后判了大刑的都是打他这年龄学的坏。”几乎还是个毛孩子的年轻民警相当老成地慢悠悠地说，“也不是说你不管就没人管了，你真不管，我们也可以替你管，但那管法就不一样喽。你既当了人家的爸爸，也别忒大松心了。我见得多了，那孩子最后五花大绑给提出来上刑场枪毙，做父母的哭都来不及——别回头再让孩子骂你！”

“你上哪儿了到处找你找不着我们还以为这孩子没亲属呢！”病房的护士知道了马林生的身份后也这么说，“没见你这么当爸爸的，孩子出了这么大事连你的影儿也找不着，这是你亲生的吗？不想要了说一声，有的是等着孩子的——顺左边第二个病房四床。”

马林生推开病房门，首先看到的是哭红了眼的前妻和岳母，然后才看到了躺在病床上的马锐。

如果是在大街上，擦肩而过，他完全可能认不出儿子。他脸肿得都变了形，仿佛骤然两颊多出很多肉，眼睛肿成一条细缝儿，额头腮侧布满了淤血和青紫，皮肤亮晶晶颤巍巍像一块块透明的肉冻。他的头发被剪得乱七八糟，贴着纱布，可以看到渗透纱布的血渍和边缘的褐黄碘酒。一条胳膊打着夹板弯曲地搁在胸前。他的呼吸沉重急促，虽然醒着，可看到父亲没有任何表示。

马林生的眼泪一下就流下来了。

他凑到床前，俯下身去看儿子，轻声说："我来了，爸爸来了，你哪儿疼啊孩子？"

马锐一声不响，仍然以那种茫然、空洞的眼神仰望着天花板，一动不动地躺着。

前妻在一边忍不住又啜泣起来，她见了仇人似的盯着马林生咬牙说：

"马林生，我跟你没完。"

前岳母的目光也冷冰冰的，充满仇恨和憎恶。

"他吃东西了吗？"马林生问两个女人，"给他都用了什么药？"

"马林生，你用不着这会儿再来假惺惺的。你还可以再回去玩去，别误了你的大事，这儿用不着你，没你也可以！"

老太太捅了一下女儿，前妻看了一眼儿子，声音低下去，耳语般咬牙切齿地说：

"你走，马上离开这儿，我不要看见你。"

"这不是你撒泼的地方。"马林生忍不住低声回敬。

"你走不走？不走我赶你走！"前妻噌地站起来。

"孩子都这样了，你们俩还闹什么？"老太太急了，生气地站起来，对马林生说，"你出来一下，我有话对你说。"

马林生看了一眼儿子，跟老太太离开病房。

两个人站在病房走廊上，半天没说话。马林生看着老太太，老太太看着马林生。最后，老太太叹了口气先开了口：

“我不是想怪你，事情已经到了这份儿上，再怪谁也没用了。过去的事就不说了，咱们得为孩子的今后好好考虑考虑了。再这么下去可不行了，今天能出这种事，明儿个不定还会出什么事。”

老太太看了一眼马林生，马林生只是沉默。

“当初，你提出要管孩子，我们虽然不愿意，但也同意了。你既然想管孩子，爱孩子，我们也理解你，相信你能管好，把孩子交亲父亲还能不放心吗？可现在看来，你管得不怎么地，你没管好。不知是你没能力呢还是压根就没怎么去管？”

“我管了……”

“你管了他还能成这样？你也不用瞒我，我知道你现在心里有别的事……”

“那事和这事没关系。你问马锐，他让我管吗？”

“这还能由他说了算？小马呀，我知道你的难处。一个男人，舒服惯了，管孩子是可能没经验。再说你也要成家了，顾不上这头了，这孩子的事你管不了也就别硬撑着了，对谁都不好。你瞧这孩子，你看着就不心疼？”

“我明白您那意思，不过没门儿，我不答应！”

“咱们得为孩子着想，不能感情用事。”

“我承认我这事儿上做得不够，我可以改正，我可以好好再做。我再婚孩子也是赞成的，征求过他意见的，不影响我们今后的关系。”

“不是你再婚影不影响孩子，而是你根本没能力管这个孩子，你当爸爸就不够格！”老太太强硬起来，“这事我们已经决定了，孩子今后跟我们生活，不管你同意不同意！”

“你们征求孩子意见了吗？”

“不能再听他的了！就因为开始依了他，才有了后面这一系列。”

“那我告诉您，你们甭想！”

“许娟是孩子的妈妈，我们有这权利。我们不是跟你来商量的，而是已经决定了，只是把这个决定通知你。孩子出院就直接到我们家去了，你回去把孩子的东西收拾一下，回头我去取。”

“你们这么干就是拐带人口。”

老太太凝视了几秒马林生：“这次你说下大天也白搭。”

第十八章

“……从蒙古人民共和国南下的一股较强的冷空气，其前锋今天中午已经到达了我国的内蒙古、东北和华北一带，预计明后两天将影响我国大部分地区。气温将明显下降，并有五六级大风。冷空气前锋过后，黄河流域、淮河以北气温将下降十至十二摄氏度；长江流域、淮河以南气温将下降五至八摄氏度。请各有关单位做好防寒防冻的准备……”

电视播音员在报告着大风降温消息，声音瓮声瓮气地在屋里回荡，由于电视的彩色失调，播音员的脸显得赭红，胸前的领带鲜艳得刺眼。

马林生坐在电视机前，两手插在膝间，佝偻着身子呆呆注视着屏幕。电视的画面不停地变幻着，忽而翠蓝殷绿，忽而褐红土黄，他的神情则始终如一地凄恻茫然。

他身后的火炉在熊熊燃烧，炉门内红光如练，不时有明亮耀眼的煤屑掉落炉底，转瞬黯淡余烬成灰。

炉上的水壶盖轻轻吱叫，缕缕水蒸气从壶嘴里袅袅冒出，蓦地水壶尖叫，马林生如梦方醒，忙起身把水壶自炉上拎下。他拎着水壶挨个察看暖瓶，瓶瓶都是满的，旋把水壶置于地上。他封了炉门，又钩起炉盖看了看火势，将盖复原，一手拿钩一手拿通条竟愣在炉前，忘了自己要做什么。片刻，才压了块煤，捅了捅煤眼，那黑黢黢的左轮枪转膛般的煤孔经其疏浚，个个都喷出呼呼的火苗。

他放下铁钩通条，点起一支烟，正欲坐回沙发，才发现电视机已成一片“雪花”，飒飒作响。他关了电视，屋里立刻寂静下来，他听到炉膛内煤火燃烧的风吟和窗户外寒露滴于阶上结晶成霜的裂帛之声。

一阵微风横空掠过，门窗翕动，铿然呼响，他一下紧张起来，侧耳谛听，疑神疑鬼地问：“谁？”窗外并无人作答，只听得树叶一阵窸窣抖动，似有一些枯叶离枝而去，飘飘荡荡，触窗落地嚯啦有声随处翻滚似鼠蹑行。

马林生关了外屋灯，进了比较明亮的里屋，一大一小两张床皆被褥俨然。他拉开大床的被子，脱衣褪裤钻入，坐在床头吸烟，不禁频频去看那张空荡的单人床。他的眼圈红了，咬唇抬头看门框，一截长长的烟灰嗒然掉落在被面上。

马林生穿得很齐整，一件黑色的带着久压箱底造成的折印的双排扣雪花呢大衣，两肩搭着驼色羊毛围巾。那个面对他而坐的法院工作人员则是一身笔挺的制服，大盖帽上的国徽和肩章上的天平绣饰金碧辉煌、威势赫赫。小伙子很年轻，起码比马林生小十岁，但态度神色口吻举止已是相当老练。

尽管有预报，天却迟迟未变，外面依然是近乎秋末的明媚天气，纹风不动，阳光穿过高大的窗户洒了一地，使室内明暗有致，端坐的人脸十分清晰，汗毛茸茸。

两个男人都很郑重，很安然，交谈时只是嘴动并不辅以手势。他们谈了很久，两个人的姿势始终未变，各自正襟危坐。

“不不，你没懂我的意思，目前我仅仅是找你了解一下情况，不是正式聆讯。你前妻已经诉到我院要求转移你对你们共同的孩子的抚养权，有正式诉状，我院也已决定受理。但是否立案尚在考虑之中，我们倾向于庭外调解，当然这也要根据你们双方的态度是否能达成妥协才能定夺——还要看具体情节是否够立案标准。”

“你指的是什么情节？”

“是否确有严重的虐待行为。”

“不，我认为完全谈不上是虐待。”

“所以我要找你了解情况，我们需要听取你们两方面的情况介绍。从控方提供的证人证言看，你确有虐待行为，这对你很不利。你若否认，必须也有相应的证人和证言，要形成书面的东西交给本院。”

“我个人的否认不能说明问题吗？”

“不足以，最好要有旁证。你看，人家指控你的每个行为都有充分的旁证。”

“真不知她是从哪儿搞来的这些旁证。我和我儿子之间的事别人怎么会知道？”

“你不是生活在真空里，你周围的邻居、老师、朋友都有眼睛和耳朵，你也可能把你的事告诉别人。”

“我没有更多的证人，只有一个：我儿子。他最清楚我是怎么对他的——可她们不让我见他，她们变着法儿的想让他恨我。”

“当然，你儿子是最重要的证人，实际上他才是当事人，我们也会找他了解情况的。”

“我会输吗——如果由你们判的话？”

“瞧，你们双方的态度都是毫不妥协的。调解的结果只能是一方有抚养权，如果你们都坚持，调解也不会成功。”

“可这不是分家产什么的，我可以多点也可以少点。这种事只能是要么全有要么全无！”

“还是有区别的，譬如赡养费的数目、探望的期限……”

“这些我都可以满足她们的要求——同志，您是公正的，您跟我说句实话，刚才我跟您说了那么半天，您觉得我够格当个父亲吗？”

“单方面陈述当然只能得出单方面的结论。我们的判断还要根据你们双方的意见。我的意见也是希望你的陈述更有说服力，所以要你多找些旁证。”

“可最重要的是我儿子怎么说对不对？”

“……可以这么说——你对他会怎么说没一点把握？”

“……实话说，我一点也不了解他。我不知道是该相信他的判断力还是依赖他的感情——哪种把握更大些。”

“你看，你和你儿子如此隔膜，那你真离失去他不远了——不管我们怎么判。”

“我不知道你是否有儿子，儿子多大，可你想必也是当过儿子的——你说得对，这是不可避免。也许我不该如此认真……人仅仅是不能克服自己的感情。”

“我理解您的感情。”审判员不动声色地注视着马林生，“我们会最大限度地兼顾当事各方的情由，使事情有一个即便说不上圆满但是公正的结局。”

这时，马林生的眼神涣散了，外面的走廊上传来一阵杂沓的脚步声。他听到在橐橐脆响的高跟鞋声中，伴随着轻轻的胶底鞋的擦地声，此伏彼起，节奏错落，那是他熟悉的一种脚步声犹如母兽熟悉幼仔的气息。

马林生一看到儿子太阳穴便呼呼响起来。他穿得很厚甚至有些臃肿和衣着华贵的母亲站在门口。他几乎比母亲还要高出一点，如果再魁梧些，肩膀再宽些差不多就是个小伙子了。从儿子出院后，他就没见过他，去了几次，都被前妻和其母拒之门外。他的脸已经恢复了原有的轮廓，头发短短的剪得很平整。但额头、颞侧和颧骨等有坚硬突出的骨头处仍留有浅浅的伤痕，这使他面部的皮肤颜色看上去深浅不一，似有重重阴影，为那张年轻的脸增添了几分老成和风霜感。

他注视父亲的目光有几分阴沉几分冷漠，与其说是怀有敌意，不如说是麻木不仁。

审判员示意马林生可以走了，同时请那母子俩就座。

马林生几次张嘴，终于一字未吐，沉默地从儿子身边走过，来到外面走廊上。

门在他身后关上了，走廊里充满阳光像是一条明亮的隧道。他走过一扇扇闪烁着金色光芒透明似无的窗户，从后面看去像是一截不溶于水的黑色铁棍。

窗外起风了，随着第一阵树叶哗哗抖响后，风愈来愈大，视野里的树都开始剧烈摇曳。这股蒙古来风终于如期降临，如同帷幕遮住太阳，天地间顿时昏暗下来，霎时风景中艳丽明快的色彩荡然无存，房间内也显得阴森森的。

年轻的审判员把母亲请到另一个房间等候，单独面对着这个孩子开始询问。

“你不要紧张，我叫你来只是核实了解一些情况，有什么你就说什么。我非常想知道你的真实想法，你知道你的父母亲关于你的情况互相说法不一，可能你能告诉我们哪些是真实的。”

马锐没说话，似乎有些心不在焉，对这间法院的接待室有些好奇。

“我们先从日常生活问起。”审判员拿过厚厚一沓笔迹不一的证人证词看了两眼，从第一份证词看了两眼，从第一份证词提供的情况开始问：“你母亲方面的证人说你父亲在日常生活中对你照顾得很不够，经常给你吃挂面，即便在节假日也怎么省事怎么来，基本一天主要的两顿饭都是面条，早饭则断断续续，时有时无，这情况属实吗？”

“差不多。”马锐眼睛看着保险柜回答。

“我想问你，你们家吃面条吃得复杂吗？我是说是否需要很复杂的配料和制作，像山西人那样？”

“不，就像吃方便面那么吃有时烩点卤有时炸点酱更多的时候也就放点酱油和香油拌拌——比日本人还不如。”

“就是说仅是出于方便根本没有考虑营养和口味？”

“是。”马锐看了眼审判员点点头。

“为什么？是你父亲不会做还是懒得干？”

“他怎么说？”他沉默了片刻，问。

“他说不会。可我这儿还有另一份证言，说他在他女朋友家经常又烹又炸，手艺好得很，吃过的人都赞不绝口。”

“那就是懒得干了。”他的视线又开始在屋内游移。

“……看来是这样了，怎么你不清楚？”

“我知道他能把鸡呀鱼呀的弄熟，但我不知道这是不是就算手艺好。”他有点不耐烦地抽抽鼻子。

“就是说鸡呀鱼呀的还吃过？”

“吃过。”马锐奇怪地看了眼审判员。

“是啊，要说你连鸡都没见过，连我也不信。你父亲经常给你买衣服吗？就是说该买的衣服都买。”

“我妈妈怎么说的？”

“她说你父亲把更多的钱用在自己赶时髦上，而对你以不露出屁股为准——这是她证词的原话。她还说你的几件好衣服都是她给你买的。”

“我父亲的衣服是比我多，可你觉得他时髦吗？”

“不，我不觉得他时髦。他收入不高对吗？”

“光有工资。”他谨慎地回答，似在斟酌措辞。

“噢，光靠工资现在都算下层了——那他就算打扮得可以了。看来这些证词和事实出入也不大，一方面囿于经济条件，的确他抚养你也很艰难。似乎你母亲的经济条件要比他宽裕。”

“我姥姥有点外快。”

“你父亲平时经常打你吗？”

“不算经常。”他低头看自己脚上的棉鞋。

“打过？”

“是。”他抬头，眼睛一亮。

“他打你时出手重不重？”

“反正打在身上感到疼。”

“打坏过你吗？这儿有一份证言证明你有次挨打后脸上带着伤痕。”

“可能，他有时抽我耳光。”他干巴巴地回答。

“都是为什么打你？”

“当然是他认为我错了的时候。”

“那他为什么不跟你讲道理呢？”

“道理也讲，耳光也打。”

“为什么？既然讲了道理何必又要打耳光？”

“道理没讲通呗。”

“懂了，你有你的道理，他有他的道理，一旦相持不下，就看谁的劲儿大了。有没有完全无理的上来就打？”

“在我看来，从来都是无理的，可他自己从来都是觉得忍无可忍。”马锐微微一笑。

“你们常吵架吗？”

“这得算经常。”他带着一丝笑意点头。

“他常骂你？”

“有时候。”

“骂得很难听？”

“比街上的脏话要干净。”

“当然，你毕竟是他儿子，他要破口大骂还要有所顾忌。你觉得你父亲生活是否检点？据你母亲提供证言说，他有酗酒的毛病，而且最近准备再婚，交了个女朋友，经常到女朋友家过夜。”

“这是他的私生活，与我无关。”马锐眨眨眼嘟哝。

“我不同意他的私生活与你无关。譬如他要再婚势必要影响对你的关心。他经常处于醉酒的状态和夜不归宿怎么能履行做父亲的职责？当然我无意对他的行为进行道德评判，仅是对此类行为可能导致的后果感到关注，所以我要弄清这些指控是否属实？”

“属实。”他想了想，欲言又止。

“马锐，我们现在要做的只是澄清事实，以利判断究竟由谁来抚养你对你更好一些，至于这些事实所牵涉的道德问题一概不是我们所执意追究的，请你千万不要以为我的问话是针对谁成心要对谁予以贬斥。下面我再问你，你是不是经常在课堂上私下传阅某些你这个年龄的孩子不宜阅读的书籍？”

“我觉得我看的书都是宜于我读的。”

“我们不用你的标准，用社会的眼光……”

“是老师的眼光吧？”

“就算是吧，老师的眼光毕竟也代表社会某些势力的标准——我们不争论这个问题。”

“有。”他盯着审判员，下巴缩在毛茸茸的衣领中。

“这些书你从哪儿得来的？你父亲是不是你看这些课外书的一个来源？”

“是，我从他的书架上拿过很多书看。”

“他对你看课外书进行过指导没有？还是完全采取放任不管的态度？”

“他的书架上没有锁。但他也说过要我多看描写英雄事迹的书，只不过他的书架上找不到一本描写英雄的书。”

“所以你也就只能挑选那些书看了？”

“我看那些书并不是我只能看那些书，而是我喜欢也只对那些书感兴趣——我看英雄事迹的书才是只能看才看。”

“我说过了我们不争论谁对谁错，只谈论事实。”

“可你这个事实已经包含了是非观念……”

“当然当然，没有完全孤立的事实。事实总是代表一些看法，毫不证明看法的事实是毫无意义的，法庭听取事实的目的也是为了最后形成一种看法。这仍然不存在谁对谁错的问题，只是多数对少数而已。所谓道德是非也无非是不同的生活观截然对立，在这儿我们按世俗的论处。最后我再问你一个问题：你挨打那天你父亲毫不知情？”

“是的。”他垂下眼睛。

“有证人证明，实际上你已在很长时间表现出了异常，连你的同学都注意到了，而你父亲却丝毫没有察觉。”

“是。”

“你为什么不告诉他呢？”

“……不想。”他不耐烦地在椅子上动动屁股。

“是不是你对他能否解决这件事抱不信任的态度？”

“他知道了也不见得有办法。”

“你上次就挨过一次这伙流氓的殴打？”

“是。”他气冲冲地回答。

“他没采取什么措施吗？”

“他只带我上医院缝了针。”他把脸扭向一边。

“懂了。”年轻的审判员疲倦地往椅背上一靠，用手翻着那沓证词说：“从这经过证实的事实看，你父亲确实不能算个称职的父亲，不管他怎么解释自己的动机。”

“从这些事实看，是只能得出这么个结论。”

“什么意思？”审判员抬眼看了下面前的这个毛孩子，“什么叫‘这些事实’？还有其他的事实吗？”

“就看你想不想知道了。刚才你说的那些事加起来也不过是半个月的事，可我和我爸一起待了十多年，要想再找出半个月他怎么对我好的事也一样很容易，你要听了那些事没准就会得出结论：他是天底下最好的父亲——就看人家给你听的是什么了。”

审判员眉毛蓦地一挑，饶有兴趣地看着马锐，问：“你是说我受了人摆布？”

“事实就是如此，谁也没说谎，可结论完全相反——我父亲没向你提供证明他对我一贯不错的事实吗？”

“提供了，说了好多，他还说要让你证明。”

“我绝对可以证明，而且保证句句是实话，不信你就反过来再问我一遍。”

“你的意思是说，目前我还没有了解全部事实。”审判员若有所思地说，“只是单方面的，一种集锦，尽管是事实也得不出正确的结论，必须再听听另一方的事实？”

“即使你了解了全部事实，你也没法得出正确的结论。”

“为什么这么说？”审判员疑惑地皱紧眉头。

“因为你一点也不知道我是怎么想的。”马锐坦然回答。

“你怎么想会影响事实的存在吗？”

“我要是块石头你当然可以不考虑是把我烧成灰好还是用水泥砌起来搭房子好。”

“我们判断一个人是否有能力尽到抚养、教育之责并不完全凭孩子的感受，有些父母一味溺爱殊不知正是害了子女。”

“可我要没感觉你就不能说我受到虐待。你刚才说的那些事不也正是猜着我的感受得出的结论？”

“照你这么说就没有一个客观世界和客观标准了？全部由你随意兴废，你愿它有即有，你想它无即无——你也太随便了吧？”

“你们关心的不是我吗？不是做数学题也不是物理试验。既然你关心的就是一个人是否受到了……应有的对待——我在你眼里算个人吗？”

审判员闻言变色，坐正，恳切地说：“虽然你还未到法律规定可以对自己行为负责的年龄，但你仍是个人，从一生下来就是个人。”

“只不过需要你们为我负责。为什么女孩子十四岁就可以对自己的行为负责了而男孩子反倒不行？”

"啊，那是一项特殊的保护性法律，并非歧视男孩。"审判员微笑地说，"我无意把你的意见排斥在法庭的考虑之外。我们最重视的就是你的看法。你不要那么敏感嘛，没人想忽视你。我现在就想听听你对这事的看法。听你的意思，你对你那个父亲还很满意？"

马锐不吭声了，看看这个比他高出一头的因穿了漂亮的官衣而显得正儿八经的小伙子，温顺地垂下眼睛。

"算了，你还是按我妈妈的意思问我吧，我的想法也是小孩的瞎想。"

"怎么你又不想说了？"审判员摸摸兜，找出一支皱巴巴的烟叼在嘴上，撅着嘴边划火柴边说，"我怎么成秉承你妈妈的意思来问你？我谁的意思也不按，只尊重事实，你还怀疑我的公正吗？这得算对我这职业的侮辱了。"

马锐一笑，"我不是怀疑你，而是我得按我妈妈的嘱咐行事，出来前说好的。"

"哦，那你们这可算出示伪证欺骗法庭，我得向你们问罪了。"

"可我一句假话也没说呀。"

"隐瞒真实意图就是欺骗。"审判员吐着烟笑说，"好啦好啦，你不想让我乱判吧？你瞧我尊重你的意愿你偏又甘心放弃自己的权利。莫非你对跟谁过根本无所谓？"

"你真想知道我是怎么想的？"

"你以为我跟你逗着玩呢？我们的目的不就是保护你的利益？你讲话，好赖都看你的感觉了。"

"你真想知道我就告诉你，我真无所谓，不管是改跟我妈过还是继续跟着我爸。"

"这话怎么讲？你这么小怎么就这么想得开？你是觉得他们

俩一样好呢还是一样坏？”

“甭管好坏，对我还不是一回事？都得管我，教育我，还得赛着比着看谁管得好——我在谁家不都得挨管？谁让我小呢？还不到年龄不配自个管自个呢？”

“那你父母要都撒手不管你，你就舒服了？”

“我不敢说这话。我要这么说，你们大伙还不得以为我将来非惹出大祸吃枪子儿去？再说也不孝啊，我有这挨人管的义务，我得把这义务尽到年龄，忍到十八。”

“你说这话已经不孝了，你爹妈听见非寒心死。”审判员笑说，“你以为一到十八就没人管了？你到死都有人管着你。”

“少一层是一层。”马锐也笑，“我好好的谁还非没事为难我？起码关起家门清静了。”

“看不出你小小年纪还挺有心眼儿。没事儿是不是好琢磨个问题？没人说过你有点少年老成吗？”

“噢，我年龄小就一定得傻乎乎的，你怎么跟我爸妈一个思路？”马锐不满地翻了翻白眼，“你是一到十八就突然明白在此之前一直是一盆糨糊？”

“不不，当然不是像生孩子那么准日子，到时间就瓜熟蒂落。”审判员笑说，“你特别不愿意人家说你小吧？”

“不是不愿意人家说我小，而是不喜欢别人因为我是小孩就把我看成糊涂蛋，不是哄着就是打着骂着。干吗哪？觉得自己了不起是不是？好多大人我看都胡子一把了还不如我们小孩懂事呢。您是法院的您还不清楚？关在您这儿的是大人多还是小孩多？”

审判员咯咯笑，被一口烟呛住，连声咳嗽，像个下蛋母鸡憋红了脸，边笑边瞅着马锐：“你还挺能胡搅。”

“瞧，笑成这样，准知道你得把我说的话当成孩子话听。”

“没有没有。”审判员忙止住笑，擦去笑咳出的眼泪，面对马锐坐正，“我非常理解你，也同意你的部分观点，这明白不明白真不在年龄——分人。有的人就是一辈子不明白，到死都不明白，跟这些人比，你得算少年天才了。你没试过考科技大学的少年班？”

“别以为我听不出你这是讽刺我。”

“绝对不是，我是十分钦佩，真的真的。”审判员一本正经地向马锐颔首，“羡慕你，我像你这么大时还天真烂漫呢，后来不知道吃了多少亏。难为你没人教就自个学聪明了。”

“也是生活摔打出来的。”马锐煞有介事地回答。

审判员忙低下头用手挡住脸，抽着肩膀笑得乱颤。片刻，好容易控制住，抬起头严肃地望着马锐，“你真无所谓……”一语未了，扑哧一下又笑了起来，“对不起对不起，你的话让我想起别的事，所以笑个不停，你别生气。”

他低头看那堆证词，看了一会儿，恢复了正常，抬起头，有些茫然地望着马锐说：

“可你总得有个态度呀。你爸爸总打你，你跟着你妈起码能少挨几次打，最多唠叨——两害相权取其轻。”

马锐看看审判员，看出他确实不是在取笑他，便回答：“我爸是有时打我，可我就一个爸爸是不是？商店里也再没卖的。他再对我怎么厉害——我能跟他认真吗？”

“可你也只有一个妈妈，商店里也再没卖的。”

“所以我就不知道怎么办好了，谁我也不想得罪，只好没态度。”

“那……譬如说调解不成，我们真开了庭。到了法庭上让你表态你怎么办？”

“那我也一样，只能含含糊糊，让你们觉得我是被吓傻了——你们问个没完，我就光哭！”

“你小子还挺鬼，合着这得罪人的事全推给我们了。”

“咱们处境不一样，你跟他们谁也不认识，可我一个是爸一个是妈，都是亲人——你就胡乱判吧，判给谁我也没掉虎口里。”

“你要这么说，那我可真就乱判了——爱谁谁。”

“爱谁谁，胡判吧你就。谁坚决闹得凶你就判给谁，到明天再说吧。”

“好，有你这句话，我就有底了。我就是不愿意落埋怨。”

“你还有什么想问的吗？我一块堆儿都说给你。”

“我也甭多问了，既然你都不在乎我更不在乎了。”审判员收拾着桌子上的材料，“谢谢你啊，这么合作。”

“没事，不用谢，这事不是跟我也有点关系吗？”马锐起身准备走，忽然想起什么转回来对审判员说：

“刚才我跟你说的那些话，你可得为我保密，千万别传话传到我父母耳朵里，要不我没法做人了。我到十八还好几年，这几年里我还得在他们跟前装小孩呢。”

“你明儿就向他们宣布，你已经长大了不就完了？”

“行不通行不通，他们接受不了，说了也白说，不费那劲，就让他们再觉得自己有用几年吧。”

“那倒也是。”审判员赞成地点点头，“我都这么大了，我爸还把我当小孩呢，跟老人没法讲理。忍着吧，谁让咱是人家生的呢？”审判员拍拍马锐的肩膀，“多哄着点你爸你妈，扯这臊干吗？反正过一百年谁也不认得谁了。”

“爸爸！”

“儿子？”

父子俩随着人群步出法庭后，各自站住，互相凝望。马林生看着失而复得的儿子，双目渐渐模糊了，泪水就像碱水杀疼了他的眼睛。

马锐初觉得那场面一定很肉麻，生怕自己难于启齿或不够自然把动作和表情搞得太过火。但真正面对父亲时，他还是毫无困难地喊出“爸爸”这两个字。当父亲一把将他揽入怀中，他蓦地感到一阵心酸，眼泪也就自然而然地流了下来。他发现这一切其实不用表演，和父亲重新相处并没他想象的那么尴尬，他们毕竟是父子，只要自己不设计，其实无从做作。

他们泪眼相对，像隔着一层雨幕，彼此的眉目都飘移了。马林生使劲瞪大眼辨认着近在咫尺的儿子，但无论怎样努力也看不清，那张脸始终朦胧像拍虚了的照片。他的嗓音沙哑，几乎发不出声，刚才在法庭上他已经喊哑了嗓子用尽了全身的力气。

“你还疼吗？”

马锐摇摇头。

“哪儿最疼？”他抚摸着儿子脸上那一块块光滑凸起的疤痕，“这块还是这块？”

“都不是……”一阵突如其来的心室纤颤使马锐的心几乎停跳。父亲的眼泪滴在他的脸上，皮肤像触电般把阵阵寒噤传遍他的全身。

“还疼么你还疼吗？”父亲兀自抚摸着喃喃自语，“我怎么能下这样的手我真混……”

“这不是你打的，再说也早不疼了，只是有点痒痒。”

“要是你比我高比我壮比我有力气，你会还手吗你会干挨打吗？”

“别说了爸爸，这伤不是你打的。”

“你回答我告诉我你会还手吗？”

“你打过你父亲吗？”

“可我这么对你还能算你的父亲吗？”

“怎么不算？”马锐哭着说，“怎么能不算？怎么着都算。”

“不，不该这样，一个父亲不该像我这样——你没发现我其实很自私吗？”

“我也很自私，爸爸。”

“可这不一样，孩子。你可以自私，你还小，你还脆弱，你必须更多更小心地照料自己，这也就是帮别人的忙。我不同，我对你有责任有义务，你讲过的，否则就是犯罪！这道理是对的，肩负这种责任怎么还能自私？自私还能算个人吗……”

马锐真想放声恸哭，他感到羞愧。他觉得自己是在用虚伪的态度来对待这个毫无保留爱着他的人，这使他既厌恶自己的理智也厌恶自己的眼泪。可理性一经产生,即便用感情的泪水将它淹没，它也仍在水下岿然不动地保存。感情的油漆只能使表面簇新耀眼。他为自己再不能浑然无觉地接受父亲的感情感到莫大的悲哀。

后来，他平静了，不再絮语，眼泪也不知何时干涸了，只感到脸上一片冰凉和结痂般的紧绷。他在父亲的怀抱中冷冷地想：明白了之后真是可怕！

冬天的太阳显得冰凉，像块放入冷柜冻得邦邦硬的肥肉，惨白的光芒如同冻脂凝结在它的表面。

鹰、隼、白头雕蹲踞在同一株树上的不同枯枝头，呆呆地长久凝视着远方的高空；狼、豺耷拉着舌头低着头沿着单一、固定的路线不停地匆匆来去；金钱豹在长板凳上睡觉；鼬鼠在乱窜；白熊在洗澡；黑熊在乞求；大象一直在以同一姿势晃着尾巴默默地吃着干草；长颈鹿远远地以茫然的眼神儿眺望；远处有一片火烈鸟如同一层褪色的红霞；结冰的湖中散布着一些呆立的鹭鸶、丹顶鹤和蹒跚而行的七彩野鸭，它们的岸上笼舍周围还或站或卧着大批水禽，只是无一鸣叫。连一贯热闹的鸟舍也听不到通常的喊喊喳喳，只看到一些彩色的小鸟纸屑般飞舞，翅膀发出噗噗拍打声。

狮子、老虎都离了笼子，在山下的枯草中趴卧，对游客的挑逗置若罔闻。

树叶中落满枯叶，微风吹来，簌簌滚动，纵横屈伸的枝丫光秃如指，天显得豁朗，日光通泻。

父子俩在林、湖、山和形形色色的飞禽走兽间缓步穿行，时而抬头向四周看上一眼。当他们的视线相遇，便疑虑重重地互相微笑一下。

一些兽栏空荡荡的，只留下一些粪便和污水。

“我想告诉你，爸爸。”马锐低着头边用脚踢着落叶边说，“你是我爸爸，我是你儿子，别的想是什么也是不成，咱们谁也别强迫自个——从今后！”

马林生也低着头踢着树叶，一声不吭。

“你没话对我说吗？”儿子问。

马林生看了一眼儿子，神情严肃，“你真懂事，儿子。”

“嗷——”一声虎啸，一只斑斓猛虎从草丛中站起来，镇定了片刻，打着呵欠一扭一扭地从山石下的小门回笼子里吃饭去了。

王朔主要作品年表

【1978年】

《等待》（短篇小说）发表于《解放军文艺》第11期。

【1982年】

《海鸥的故事》（短篇小说）发表于《解放军文艺》第8期。

【1984年】

《空中小姐》（中篇小说）发表于《当代》第2期；

《长长的鱼线》（短篇小说）发表于《胶东文学》第8期。

【1985年】

《浮出海面》（中篇小说）发表于《当代》第6期。

【1986年】

《一半是火焰　一半是海水》（中篇小说）发表于《啄木鸟》第2期；

《橡皮人》（中篇小说）连载于《青年文学》第11、12期。

【1987年】

《枉然不供》（中篇小说）发表于《啄木鸟》第1期；

《人莫予毒》（中篇小说）发表于《啄木鸟》第4期；

《顽主》（中篇小说 ）发表于《收获》第6期。

【1988年】

《痴人》（中篇小说）发表于《芒种》第4期；

《人命危浅》（中篇小说）发表于《蓝盾》；

《毒手》（短篇小说）发表于《警坛风云》；

《我是狼》（短篇小说）发表于《热点文学》；

《各执一词》（短篇小说）发表于《文学故事报》；

中篇小说集《空中小姐》由中国青年出版社出版。

【1989年】

《一点正经没有》（中篇小说）发表于《中国作家》第4期；

《千万别把我当人》（长篇小说）连载于《钟山》第4、5、6期；

《永失我爱》（中篇小说）发表于《当代》第6期；

长篇小说《玩的就是心跳》由作家出版社出版。

【1990年】

《给我顶住》发表于《花城》第6期；

《王朔谐趣小说选》由作家出版社出版。

【1991年】

《我是你爸爸》（长篇小说）发表于《收获》第2期；

《修改后发表》（中篇小说）发表于《小说家》第4期；

《无人喝彩》（中篇小说）发表于《当代》第4期；

《谁比谁傻多少》（中篇小说）发表于《花城》第5期；

《动物凶猛》（中篇小说）发表于《收获》第5期。

【1992年】

《你不是一个俗人》（中篇小说）发表于《收获》第2期；

《懵然无知》（中篇小说）发表于《都市文学》；

《许爷》（中篇小说）发表于《上海文学》第4期；

《过把瘾就死》（中篇小说）发表于《小说界》第4期；

《刘慧芳》（中篇小说）发表于《钟山》第4期；

《千万别把我当人：王朔精彩对白欣赏》（王朔、魏人合著）由人民中国出版社出版；

《过把瘾就死》（著名作家新作大系）、《王朔文集》（纯情卷、矫情卷、谐谑卷、挚情卷）由华艺出版社出版；

《我是王朔》由国际文化出版公司出版。

【1993年】

《海马歌舞厅：四十集电视系列剧》（电视剧本选集）、

《青春无悔：王朔影视作品集》由中国社会科学出版社出版。

【1995年】

《王朔文集》（1—4卷）由华艺出版社出版。

【1998年】

《王朔自选集》由华艺出版社出版。

【1999年】

长篇小说《看上去很美》由华艺出版社出版。

【2000年】

《美人赠我蒙汗药》（对话集）由长江文艺出版社出版；

《王朔最新作品集》由漓江出版社出版；

《无知者无畏》（随笔集）由春风文艺出版社出版。

【2001年】

《文学阳台——文学在中国》、《美术后窗——美术在中国》、《电影厨房——电影在中国》、《音乐盒子——音乐在中国》等“文化在中国”网站系列丛书由上海文艺出版社出版。

【2003年】

王朔文集（包括《顽主》、《过把瘾就死》、《我是你爸爸》、《玩的就是心跳》、《篇外篇》、《橡皮人》、《千万别把我当人》及《随笔集》）由云南人民出版社出版。

【2007年】

小说集《我的千岁寒》由作家出版社出版；

长篇小说《致女儿书》由人民文学出版社出版；

小说随笔集《新狂人日记》由长江文艺出版社出版。

【2008年】

长篇小说《和我们的女儿谈话》第一部发表于《收获》第1期，并由人民文学出版社出版。

图书在版编目（CIP）数据

我是你爸爸 / 王朔著. — 北京 ：北京十月文艺出版社，2016.6
（王朔文集）
ISBN 978-7-5302-1574-6

Ⅰ. ①我… Ⅱ. ①王… Ⅲ. ①长篇小说—中国—当代
Ⅳ. ① I247.5

中国版本图书馆 CIP 数据核字（2016）第 057338 号

我是你爸爸
WOSHI NI BABA
王　朔　著

出　　版　北京出版集团公司
　　　　　北京十月文艺出版社
地　　址　北京北三环中路 6 号
邮　　编　100120
网　　址　www.bph.com.cn
发　　行　新经典发行有限公司
　　　　　电话（010）68423599
经　　销　新华书店
印　　刷　北京盛通印刷股份有限公司
版　　次　2016 年 6 月第 1 版
　　　　　2022 年 10 月第 11 次印刷
开　　本　850 毫米 ×1168 毫米　1/32
印　　张　9.25
字　　数　203 千字
书　　号　ISBN 978-7-5302-1574-6
定　　价　45.00 元
质量监督电话　010-58572393